Reading & Interpretation
大家写小书·马恩经典著作新读

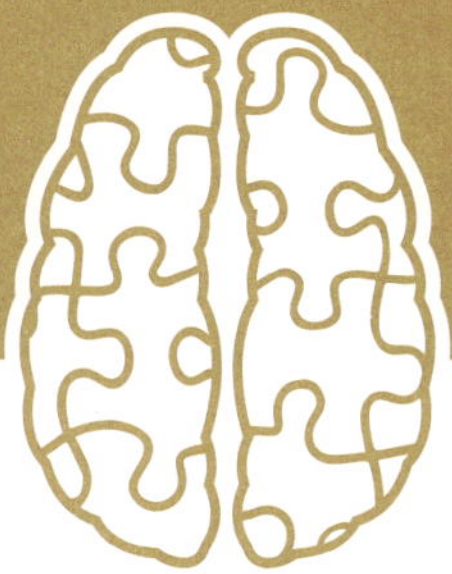

丛书主编　顾保国

历史唯物主义的真正出场与当代在场

《德意志意识形态》新读

郑敬斌　著

红旗出版社

红旗出版社
HONGQI PRESS
推动进步的力量

图书在版编目(CIP)数据

历史唯物主义的真正出场与当代在场:《德意志意识形态》新读 / 郑敬斌著. —北京:红旗出版社, 2020.3 (2021.4重印)
(大家写小书 / 顾保国主编. 马恩经典著作新读)
ISBN 978-7-5051-5013-3

Ⅰ.①历… Ⅱ.①郑… Ⅲ.①《德意志意识形态》-马恩著作研究 Ⅳ.①A811.21

中国版本图书馆CIP数据核字(2019)第252101号

书　　名　历史唯物主义的真正出场与当代在场
　　　　　《德意志意识形态》新读
著　　者　郑敬斌

责任编辑　赵　洁　　丛书统筹　丁　鋆
责任印务　金　硕　　特约编审　希　言　郭潜深
装帧设计　戴　影
出版发行　红旗出版社
地　　址　北京市沙滩北街2号　　邮政编码　100727
　　　　　杭州市体育场路178号　　邮政编码　310039
编 辑 部　0571-85310198
E-mail　498416431@qq.com　　发 行 部　0571-85311330
图文排版　杭州兴邦电子印务有限公司
印　　刷　浙江全能工艺美术印刷有限公司
开　　本　889毫米×1194毫米　1/32
字　　数　61千字　　印　　张　2.875
版　　次　2020年3月第1版　　印　　次　2021年4月第3次印刷
ISBN 978-7-5051-5013-3　　定　　价　20.00元

欢迎品牌畅销图书项目合作　　联系电话:0571-85311330

从经典著作中汲取斗争智慧

（丛书序）

习近平总书记在2019年秋季学期中央党校（国家行政学院）中青年干部培训班开班式上发表重要讲话时指出，“斗争精神、斗争本领，不是与生俱来的。领导干部要经受严格的思想淬炼、政治历练、实践锻炼，在复杂严峻的斗争中经风雨、见世面、壮筋骨，真正锻炼成为烈火真金。要学懂弄通做实党的创新理论，掌握马克思主义立场观点方法，夯实敢于斗争、善于斗争的思想根基，理论上清醒，政治上才能坚定，斗争起来才有底气、才有力量”。

经典著作体现了马克思主义立场观点方法，不仅包含着明确的问题意识、经典的分析方法，而且包含着斗争精神。这种斗争精神既体现了事物本身的复杂性，也体现了人类智慧的深刻性。虽然马克思主义诞生在一个半世纪之前，但迄今依然有着强大的生命力，被历史和现实一再证明是科学的理论，这其中一个重要原因就在于其科学的理论思维和强大的斗争精神。马克思主义经典著作是经典作家探索真理的丰富思想结晶，彰显了马克思主义经典作家坚定的政治立场、政治信仰和献身共产主义事业的政治品格和伟大的斗争精神。习近平总书记在纪念马克思诞辰200周年大会上的讲话中指出：“共产党人要把读马克思主义经典、悟马克思主义原理当作一种生活习惯、当作一种精神追求，用经典涵养正气、淬炼思想、升华境界、指导实践。”这就要求我们，提高学习马克思主义理论的能力，学思践悟，做马克思主义的信奉者、继承者、实践者和发展者。当严峻形势和斗争任务摆在面前时，骨头要硬，要敢于出击，敢战能胜。

近年来，马克思主义经典阅读热潮悄然兴起，再次凸显马克思主义经典著作编译的重要意义和时代价值。习近平总书记在中央政治局第五次集体学习时指出：“要深化经典著作研究阐释，推进经典著作宣传普及，让理论为亿万人民所了解所接受，画出最大的思想同心圆。”准确理解习近平总书记这一重要论述，需要我们深刻把握研究、阐释经典著作的时代要求，进一步加强经典著作宣传普及，使广大人民群众更深刻地感悟马克思主义的真理力量和斗争精神。

恩格斯曾说：“一个民族要想站在科学的最高峰，就一刻也不能没有理论思维。”理论思维能力不是天生的，而是后天培养和训练出来的。马克思主义经典著作是人类思想的精华，它深刻揭示了自然界、人类社会、人类思维发展的普遍规律。习近平总书记在2011年中央党校春季学期第二批入学学员开学典礼上强调，“阅读经典著作，本身就是增长知识、开阔眼界、增加思想深度和训练思维方式的过程，就是培养高瞻远瞩的战略洞察力和脚踏实地的工作作风的过程”。广大党员干部要提高斗争能力，必须高度重视通过学习马克思主义经典著作来提高自己的理论思维能力。

当今世界正处于百年未有之大变局，我们党领导的伟大斗争、伟大工程、伟大事业、伟大梦想正在如火如荼地进行，改革发展稳定任务艰巨繁重，我们面临着难得的历史机遇，也面临着一系列重大风险考验。各级领导干部要想在这些风险、困难和挑战面前赢得优势、赢得主动、赢得未来，就必须坚定马克思主义信仰和共产主义理想，不断提高运用马克思主义分析和解决实际问题的能力，不断提高运用科学理论指导我们应对重大挑战、抵御重大风险、克服重大阻力、化解重大矛盾、解决重大问题的能力，以更宽广的视野、更长远的眼光来思考把握未来发展面临的一系列重大问题，这就迫切要求领导干部自觉增强学习和运用马克思主义的本领，掌握马克思主义的斗争精神。广大党员干部特别是领导干部要学好用好《共产党宣言》等马克思主义经典著作，坚持学以致用、用以促学，原原本本学，熟读精思、学深悟透，熟练掌握马克思主义立场观点方法，不断提高马克思主义理论素养。因此，我们要系统掌握和努力实践马克思主义理论，真正把马克思主义这个看家本领学精悟透运用好，提升自己的斗争能力，并推动马克思主义不断发展。

提高把思想理论转化为实践的斗争能力，画出最大的思想同心圆，是坚持和发展马克思主义的现实要求，也是实现中华民族伟大复兴这一中国梦的思想基础。马克思主义经典著作卷帙浩繁，对于广大干部、群众来说，学习要突出重点。我们提倡读马列经典著作，并不是一定要求每位干部去全面读《马克思恩格斯全集》《列宁全集》或《马克思恩格斯文集》《列宁专题文集》。学马列要精，要管用。“精”，是指要读经典著作，经典篇目；“管用”，就是要结合具体、实际工作，有针对性、有目的地学以致用。例如，从总体上把握马克思主义，需要读

《马克思主义的三个来源和三个组成部分》；掌握无产阶级的革命理论，要读《共产党宣言》；了解马克思主义哲学世界观，要读《哲学笔记》《唯物主义和经验批判主义》《反杜林论》《路德维希·费尔巴哈和德国古典哲学的终结》；掌握马克思主义政治经济学，要读《政治经济学批判》《资本论》等。因此，我们第一辑选择了十本原著，组织国内有关院校的权威专家撰写导读，并由红旗出版社公开出版这批学习马克思主义经典著作的权威性辅导教材。

马克思主义是认识世界、改造世界的强大思想武器。在人类思想史上，没有一种思想理论像马克思主义那样对人类产生了如此广泛而深远的影响。原原本本学习和研读马克思主义经典著作，不断深化对共产党执政规律、社会主义建设规律、人类社会发展规律的认识，不断提升思想水平和斗争能力，真正把马克思主义这个看家本领学精悟透运用好，我们就能更有定力、更有自信、更有智慧，在习近平新时代中国特色社会主义思想指导下，实现“两个一百年”奋斗目标，确保中华民族伟大复兴的巨轮始终沿着正确航向破浪前行，胜利驶向光辉的彼岸。

红旗文稿杂志社社长 顾保国

2019年11月

目 录

前 言

《德意志意识形态》是马克思和恩格斯合写的一部批判费尔巴哈和青年黑格尔派、系统阐发新世界观和新历史观的巨著，是唯物史观创立和马克思主义哲学形成的重要标志。在本书中，马克思、恩格斯着重分析和批判了以费尔巴哈、鲍威尔、施蒂纳为代表的各式各样唯心史观的思想，清算了从前的哲学信仰，彻底划清了与唯心主义之间的界限；全面系统地阐述了历史唯物主义的基本原理，揭示了经济基础和上层建筑、生产力和生产关系之间的辩证关系，论述了社会存在决定社会意识的基本原理，阐释了社会形态的演变和更替，论证了共产主义取代资本主义的历史必然性；从总体上批判了当时流行于德国的“真正的社会主义”思潮，指出了这种假社会主义的哲学基础、社会根源和阶级本质，表达了他们对科学社会主义的认识。《德意志意识形态》是一部里程碑式的重要著作，不仅在马克思主义发展史和哲学史上都有着极其重要的地位和意义，而且是当代马克思主义理论创新的宝贵思想资源。

Reading & Interpretation
大家写小书·马恩经典著作新读

第 一 章

写作背景

《德意志意识形态》是马克思、恩格斯在1845年秋至1846年5月共同撰写的一部重要著作，是继《神圣家族》之后两人合写的第二部哲学巨著，但它在马克思、恩格斯生前未能出版，1932年全书第一次以原文形式，即德文形式发表于《马克思恩格斯全集》历史考证版第一部第五卷。

马克思和恩格斯曾多次为出版此书在德国寻找出版商，但由于书报检察机关的阻挠和出版商与书中所批判哲学流派及其代表人物的利益攸关等原因，该书仅有第二卷第四章于1847年在《威斯特伐利亚汽船》杂志8月号和9月号上发表过。因此，这部著作在马克思、恩格斯生前并没有出版，而是以手稿的形式保存了下来。其中，第一卷第一章《费尔巴哈》经过后来的学者重新编排，加了分节标题，删去了手稿结尾部分关于社会意识形式等内容的几段札记。郭沫若曾把《费尔巴哈》这一章译成中文，于1938年由上海言行出版社出版，书名为《德意志意识形态》，而本书所论的《德意志意识形态》，是指1956年由人民出版社出版的《马克思恩格斯全集》第三卷中的内容。《德意志意识形态》作为马克思主义哲学创立的标志，集马克思、恩格斯早期哲学思想之大成，其形成有着深厚的历史背景。

一、回击和批判青年黑格尔派的错误观点是创作的直接因素

《德意志意识形态》虽是马克思和恩格斯合著的，但是其主要思想是属于马克思的。关于这一点，马克思在1846年8月1日致卡·威·列斯凯的书信中清楚地谈到了自己编辑和修

改《德意志意识形态》的情况[1]。马克思、恩格斯之所以撰写这部手稿，直接动机是回击《维干德季刊》第3卷布鲁诺·鲍威尔（以下简称鲍威尔）、施蒂纳等人的文章。在青年黑格尔派的杂志《维干德季刊》第3卷上，鲍威尔发表了《路德维希·费尔巴哈的特性描写》一文。这篇论文不仅批判了费尔巴哈、施蒂纳、赫斯，还捎带着批判了马克思和恩格斯的合著《神圣家族》。施蒂纳在《唯一者及其所有》这本畅销书中也批判了马克思发表在《德法年鉴》上的两篇论文《论犹太人问题》和《〈黑格尔法哲学批判〉导言》。"鲍威尔和施蒂纳的批判有一个共同特点，就是轻视马克思和恩格斯，把马克思和恩格斯看成是费尔巴哈哲学的一个流派，看成是费尔巴哈的追随者。"[2] 因此，马克思和恩格斯认为有必要对费尔巴哈进行批判性分析，以回应鲍威尔和施蒂纳的批判，这是马克思、恩格斯写作《德意志意识形态》的直接因素。

知识链接

★ 青年黑格尔派 ★

青年黑格尔派是19世纪30年代黑格尔哲学解体过程中产生的激进派，亦称黑格尔左派。其主要代表人物有施特劳斯、鲍威尔、施蒂纳等人，马克思和恩格斯也曾参加过青年黑格尔派的活动。青年黑格尔派反对黑格尔体系的保守倾向，力图从它的辩证方法中引出革命的和无神论的结论。在19世纪30年代，青年黑格尔派主要从

①《马克思恩格斯全集》第27卷，北京：人民出版社，1972年，第473页。
② 王巍：《德意志意识形态导读》，北京：中央党校出版社，2014年，第4页。

事对宗教的批判性研究，进入40年代，曾经起过进步作用的青年黑格尔运动发生分化和解体。马克思和恩格斯早期参加过青年黑格尔运动，但他们不久便从宗教批判转向政治批判，进而转向了唯物主义和共产主义。

二、无产阶级革命运动的蓬勃发展迫切需要科学的理论指导

19世纪30—40年代，随着资本主义的发展，无产阶级和资产阶级的矛盾不断地激化。无产阶级反对资产阶级的斗争已经由自发的斗争阶段发展到自觉的斗争阶段；斗争的形式已经由经济斗争发展到政治斗争；斗争的对象已经由捣毁厂房、破坏机器发展到指向整个资产阶级；斗争的范围已经从个别工厂、个别地区的斗争发展到全国性的斗争，汇合成为阶级斗争。欧洲相继爆发了三大工人起义，这标志着无产阶级已经作为独立的政治力量登上了历史舞台。但是，三大工人起义均以失败告终。这主要是因为，当时流行于德国理论界的“真正的社会主义”是用费尔巴哈哲学去阐释英法社会主义或共产主义思想的，它的最大问题是不了解英法社会主义或共产主义的现实基础，从抽象的人出发虚构出种种幻想关系，把革命主体确定为抱有博爱幻想的有产者及哲学家，通过宣扬人性的普遍的爱的运动，来实现社会主义或共产主义，这在德国工人运动中产生了严重的负面影响。因此，全面批判“真正的社会主义”思想，势必成为马克思、恩格斯此时必须认真对待的事情。无产阶级革命斗争的实践迫切需要有科学理论来指

导，正是为了适应这种需要，马克思和恩格斯撰写了《德意志意识形态》。

三、喧闹的德国哲学界因无法解决实质问题而需要作出清算

除了青年黑格尔派的错误思潮外，在整个大环境下，马克思和恩格斯还同当时德国理论界中形形色色的流派一直进行着斗争。一是代表资产阶级利益的思想家们的理论同当时的政治和经济状况已经不相适应，甚至是格格不入的。它们或者是为资本主义作辩护，或者是对资本主义进行无关痛痒的批判，解决不了实质问题，主要代表是黑格尔哲学。黑格尔哲学的致命弱点就是颠倒了存在和意识的关系，不是从资本主义社会现实出发论证社会历史发展的规律性，而是“从绝对精神”出发，构造人类社会发展的未来。尽管其辩证法思想显示出威力，但也无法改变最终被唯心主义体系所窒息的历史命运。二是肤浅的空想社会主义思潮的影响。例如，被马克思和恩格斯评价为空想社会主义者的威廉·魏特林的空想社会主义，主张通过暴力革命的方式推翻私有制，建立财产公有、平均分配的共享共有的新社会。十九世纪法国著名空想社会主义者卡贝主张以和平方式，建立共产主义移民区，通过教育和训练的普及来实现“均平”式的新社会。

面对喧闹的德国哲学界，马克思、恩格斯不得不重新回到旧哲学面前，通过自我反思和批判，弄清问题，清算从前的哲学信仰；同时在此基础上去建构一种新的世界观，以便彻底将自己与“德意志意识形态”划分开来。因此，马克思、恩格斯决

定写一本书来实现这一目的，这本书就是《德意志意识形态》。关于撰写《德意志意识形态》的动因，马克思自己曾在1859年发表的《〈政治经济学批判〉序言》中作过这样的概括："当1845年春他（指恩格斯）也住在布鲁塞尔时，我们决定共同阐明我们的见解与德国哲学的意识形态的见解的对立，实际上是把我们从前的哲学信仰清算下，这个心愿是以批判黑格尔以后的哲学的形式来实现的。"①

四、马克思和恩格斯个人实践活动的发展创造了主观条件

1842年4月至1844年底，马克思在《莱茵报》《德法年鉴》和《前进报》上连续发表批判普鲁士封建专制的文章。1845年2月3日，马克思被驱逐出巴黎，迁居比利时首都布鲁塞尔。同年4月，恩格斯也来到了布鲁塞尔，与马克思开始了更为密切的探讨和合作。不久之后，马克思、恩格斯又一起去了英国。在曼彻斯特和伦敦，他们阅读了大量有关经济、金融、贸易、商业以及政治方面的最新资料和最新著作，广泛地接触了英国工人运动的活动家，同他们就共产主义运动的许多看法交换了想法。这次英国之行使马克思和恩格斯在理论研究和实践活动上取得了重大收获，使他们了解了典型的资本主义社会中的无产阶级和资产阶级的状况，并与较具国际性的英国工人运动在组织上建立了联系，而这恰恰是与那些脱离了现实生活的哲学家们不同的。马克思、恩格斯将现实的生产

①《马克思恩格斯选集》第2卷，北京：人民出版社，2012年，第4页。

活动，也即是人们创造自我、创造历史的过程理解为是德国思辩哲学的前提和基础，强调人类的物质生产是整个历史发展的出发点。于是，他们以极大的热情投入到《德意志意识形态》的创作中去，目的是根据当时无产阶级解放斗争的需要，创立新理论，给无产阶级革命运动以指导。

延伸阅读

（1）张梧：《马克思、恩格斯〈德意志意识形态〉研究读本》，北京：中央编译出版社，2017年11月。

（2）杨金海：《〈德意志意识形态〉研究：马克思主义研究资料》第1卷，北京：中央编译出版社，2014年5月。

（3）程彪：《〈德意志意识形态〉与历史唯物主义的当代阐释》，北京：中国社会科学出版社，2018年12月。

深度思考

（1）如何理解青年黑格尔派与马克思的关系？

（2）如何警惕"真正的社会主义"预言在当代的还魂？

（3）马克思、恩格斯关于意识形态的理论对我国意识形态建设有何启示？

Reading & Interpretation

大家写小书·马恩经典著作新读

第 二 章

内容介绍

一、全书的基本结构

《德意志意识形态》[1]一共分为两卷八章。其中，第一卷是由一个序言和三个章节组成，主要是批判鲍威尔、施蒂纳、费尔巴哈等青年黑格尔派主要成员的哲学观点和系统阐发历史唯物主义的基本原理。第二卷包括五个章节（现存手稿中没有第二章和第三章），该卷主要是对“各式各样的先知”所代表的“真正的社会主义”的批判，揭示这种所谓的“真正的社会主义”思潮的虚假之处及其产生的哲学基础。全书的结构具体安排如下：

第一卷　对费尔巴哈、布·鲍威尔和施蒂纳所代表的现代德国哲学的批判

第一章　费尔巴哈。唯物主义和唯心主义观点的对立

第二章　圣布鲁诺

第三章　圣麦克斯

第二卷　对各式各样先知所代表的德国社会主义的批判

第一章　“莱茵年鉴”或“真正的社会主义”的哲学

第四章　卡尔·格律恩。“法兰西和比利时的社会运动”（1845年达姆斯塔德版）或“真正的社会主义”的历史编纂学

第五章　“霍尔施坦的格奥尔格·库尔曼博士”或“真正的社会主义”的预言。

著作的最后还附有恩格斯的著作《真正的社会主义者》。在该著作中，恩格斯主要批判了“真正的社会主义者”的三个

① 参见《马克思恩格斯全集》第3卷，北京：人民出版社，1956年，第10页。

支派：其一是以海尔曼·克利盖、尤利乌斯·海尔米西以及约瑟夫·魏德迈为代表的威斯特伐利亚社会主义派；其二是以泽米西、卡尔·穆尔以及摩里茨·哈特曼为代表的萨克森派；其三是以恩斯特·德朗克、德里希·扎斯为代表的柏林派。这一部分内容可以说是恩格斯对《德意志意识形态》第二卷的直接承续。

知识链接 ……………………………………………………

★ 意识形态 ★

“意识形态”这一术语起初作为特拉西“观念学”的产物，是为了将其作为哲学概念来为人们科学地认识问题提供可靠基础，从而摈弃形而上学及其他权威性、虚假性的偏见经验论。但是，随着马克思对意识形态概念语境与内涵的真正确立，意识形态完成了从古典意义向现代意义的转向。意识形态成为一种代表统治阶级根本利益的感情、表象和观念的总和。如今意识形态已经成为支撑一个国家和社会的“软根基”，为执政党政治治理和社会治理的合法性提供重要来源，为社会成员提供价值引导与精神信仰。

二、全书内容概观

（一）历史唯物主义的系统阐发

在《德意志意识形态》第一卷中，马克思、恩格斯并没有一上来直接开始阐述历史唯物主义的相关原理，而是首先对1842—1845年这三年间德国思想界的总体变革图景进行了简单的阐述，并指出了青年黑格尔派与黑格尔哲学的依存关系及其问题所在。在马克思和恩格斯看来，虽然青年黑格尔派满口讲的都是所谓“使世界震撼”的词句，所做的都是令人震惊的行为，但实际上他们所做的种种努力都没有离开过黑格尔哲学的基地，他们“所谈到的全部问题终究是在一定的哲学体系即黑格尔体系的基地上产生的”[①]。因此，可以说，青年黑格尔派在哲学问题上对黑格尔哲学有很强的依赖性和非批判性，而对黑格尔哲学的这种依赖关系既恰好说明了“为什么在这些新出现的批判家中甚至没有一个人试图对黑格尔体系进行全面的批判，尽管他们每一个人都断言自己已经超越黑格尔哲学”[②]，也从根本上决定了他们中间“没有一个想到要提出德国哲学和德国现实之间的联系问题，关于他们所作的批判和他们自身的物质环境之间的联系问题”[③]。在阐明德国思想界的总体变革之后，马克思和恩格斯才开始较为系统地阐发历史唯物主义。

要全面制定和系统阐发历史唯物主义，首先必须要确定它的前提，否则整个理论大厦就不可能真正建构起来。那么唯物史观的前提是什么呢？马克思和恩格斯说：“这是一些现实的个人，是他们的活动和他们的物质生活条件，包括他们已有的和由他们自己的活动创造出来的物质生活条件。”[④]简言之，在一定物质生活条件下从事创造活动的现实的个人是唯

①《马克思恩格斯选集》第1卷，北京：人民出版社，2012年，第143页。
②《马克思恩格斯选集》第1卷，北京：人民出版社，2012年，第143页。
③《马克思恩格斯选集》第1卷，北京：人民出版社，2012年，第145—146页。
④《马克思恩格斯选集》第1卷，北京：人民出版社，2012年，第146页。

物史观的前提。需要提及的是，马克思和恩格斯所阐述的现实的个人不同于以往的“自我意识”“类”“唯一者”等抽象范畴，它具体包含三重规定性：第一，现实的个人是感性的个人。之所以说现实的个人是感性的个人，是因为人从根本上属于自然界，他具有自然界其它生物的特征与禀赋，有血有肉有力有气，也同其他自然物一样受制于自然规律。正是在这一意义上，马克思、恩格斯才说“第一个需要确认的事实就是这些个人的肉体组织以及由此产生的个人对其他自然的关系”[①]。第二，现实的个人是处在社会关系中的人。人的本质在其现实性上是一切社会关系的总和，这是马克思早在《关于费尔巴哈的提纲》中就提出的重要论断。在《德意志意识形态》中，马克思、恩格斯又进一步辩证地指出，物质生产和再生产都包含着许多个人的共同活动，活动本身又必须有自己的社会历史条件，这就是个人彼此之间形成的社会关系和交往。因此，个人的本质也在一切社会关系的总和中实现。第三，现实的个人是整体意义上的个人，也就是说现实的个人不再是纯粹孤立的个体即“原子”，而是作为一个整体直接呈现出来的存在物。为了深化对唯物史观的前提的认识，马克思、恩格斯进一步从生产实践的角度考察了历史关系四个方面。第一个方面是生产满足人们的物质生活资料的历史活动，即生产物质生活本身，这是人类生存的第一个前提。第二个方面是已经得到满足的第一个需要本身、满足需要的活动和已经获得的为满足需要用的工具又引起新的需要，即物质生活

①《马克思恩格斯选集》第1卷，北京：人民出版社，2012年，第146页。

的再生产。第三个方面是人类自身的生产。第四个方面是伴随着物质生产和人的生产这两种生产而存在的社会关系的生产。

在确定历史唯物主义的前提之后,马克思和恩格斯又阐述了历史唯物主义的核心原理,科学地指出了生产力与生产关系、社会存在与社会意识、经济基础和上层建筑之间的关系。首先,马克思、恩格斯第一次科学地揭示了最能彰显历史唯物主义特征的生产力与生产关系的辩证关系原理:一是生产力决定生产关系。他们强调,生产力的发展会引起分工的发展,而分工发展的不同阶段就是所有制的不同形式,可以说,历史上的不同所有制形式都是由生产力的不同发展水平决定的。二是生产关系反作用于生产力。当生产关系适合生产力的状况和性质的时候就会促进生产力的发展,反之,就会阻碍生产力的发展和社会进步,甚至可能会引起社会冲突。其次,马克思、恩格斯从意识的产生、发展和本质出发,论证了社会存在与社会意识关系原理。在马克思和恩格斯看来,"意识一开始就是社会的产物,而且只要人们存在着,它就仍然是这种产物"[①],这就阐明了社会存在决定社会意识这一面。同时,马克思和恩格斯又以照相机为比喻,阐明了社会意识的本质,即它是对社会存在的反映。最后,马克思、恩格斯阐述了经济基础(市民社会)与上层建筑关系原理。他们强调,市民社会"在一切时代都构成国家的基础以及任何其他的观念的上层建筑的基础"[②],从而指出了经济基础对上层建筑的决定

①《马克思恩格斯选集》第1卷,北京:人民出版社,2012年,第161页。

②《马克思恩格斯选集》第1卷,北京:人民出版社,2012年,第211页。

作用，同时也肯定了上层建筑对经济基础的反作用，资产阶级国家“不外是资产者为了在国内外相互保障各自的财产和利益所必然要采取的一种组织形式”①。

（二）对费尔巴哈的系统批判

在第一章中，马克思、恩格斯不仅系统阐明了历史唯物主义的基本原理，同时也对费尔巴哈的观点展开了实质性的批判。虽然马克思和恩格斯此前曾大为夸赞费尔巴哈，称他“是唯一对黑格尔辩证法采取严肃的、批判的态度的人”，是唯一在这个领域做出真正贡献并克服旧哲学的人。恩格斯甚至兴奋地说到，“我们一时都成为费尔巴哈派了”。但实际上，马克思和恩格斯从未完全成为一个费尔巴哈主义者，他们一直保持着批判的意识和清醒的头脑，就算在受费尔巴哈影响最厉害的1843年，他们依然指出了费尔巴哈“过多地强调自然而过少地强调政治”这一缺陷。只是这时候费尔巴哈哲学在马克思和恩格斯同思辨的唯心主义哲学家的斗争中还发挥着积极作用，他们也还未来得及全面审视费尔巴哈的哲学，所以并没有过多地展开对费尔巴哈的批判。随着马克思和恩格斯思想的发展以及费尔巴哈哲学缺陷的逐渐显露，对费尔巴哈的系统批判在《德意志意识形态》中才真正地提上了日程并得到了全面的展开。

首先，马克思和恩格斯批判了费尔巴哈哲学的感性直观性。马克思、恩格斯指出，“费尔巴哈对感性世界的‘理解’一方面仅仅局限于对这一世界的单纯的直观，另一方面仅仅局

①《马克思恩格斯选集》第1卷，北京：人民出版社，2012年，第212页。

限于单纯的感觉”[1]，并且他还把周围的感性世界当作是某种开天辟地以来就直接存在的、始终如一的东西，而没有看到它们实际上是“工业和社会状况的产物，是历史的产物，是世世代代活动的结果，其中每一代都立足于前一代所奠定的基础上，继续发展前一代的工业和交往，并随着需要的改变而改变他们的社会制度”[2]。所以，他根本无法真正抵达感性活动之维亦即实践之维，而只能停留在抽象的个人及其感性直观层面来理解人的现实活动，换句话说，他根本想不到他的感性直观恰恰是感性活动的产物。在此基础上，马克思和恩格斯又举了樱桃树的例子来批判费尔巴哈自以为是的感性直观。他们指出，樱桃树之所以能够被费尔巴哈的“感性确定性”所感知，并不是因为他自己的感性直观，而是因为感性对象性活动的结果，用他们的话来说，“樱桃树只是由于一定的社会在一定时期的这种活动才为费尔巴哈的‘感性确定性’所感知”[3]。针对费尔巴哈谈到自然科学的直观，并提到一些只有物理学家和化学家的眼睛才能识破的秘密时，马克思和恩格斯又批驳道：“如果没有工业和商业，哪里会有自然科学呢？甚至这个‘纯粹的’自然科学也只是由于商业和工业，由于人们的感性活动才达到自己的目的和获得自己的材料的。”[4]更为重要的是，这种感性活动“正是整个现存的感性世界的基础，它哪怕只中断一年，费尔巴哈就会看到，不仅在自然界将发生巨大

---

①《马克思恩格斯选集》第1卷，北京：人民出版社，2012年，第155页。

②《马克思恩格斯选集》第1卷，北京：人民出版社，2012年，第155页。

③《马克思恩格斯选集》第1卷，北京：人民出版社，2012年，第156页。

④《马克思恩格斯选集》第1卷，北京：人民出版社，2012年，第157页。

的变化，而且整个人类世界以及他自己的直观能力，甚至他本身的存在也会很快就没有了”[①]。然而，费尔巴哈哲学的直观性缺陷却使他根本不可能认识到这一点，这也就决定了他必然会被马克思和恩格斯批判乃至超越的命运。

其次，马克思和恩格斯批判了费尔巴哈对人和社会的抽象解读。在费尔巴哈那里，“应当遵循感官”是他最重要的一个信条，他强调，感性的东西开始之处，就是宗教与哲学结束之处，并且他也承认人是“感性对象”，在这一点上，马克思和恩格斯给予费尔巴哈以很大的肯定，称他与“纯粹”唯物主义者相比有很大的优点。但是在肯定一番之后，马克思和恩格斯随即指出费尔巴哈的软肋：费尔巴哈把人看作是“感性对象”，而忽略了人的感性活动；他对人的理解只停留在理论领域，“没有从人们现有的社会联系，从那些使人们成为现在这种样子的周围生活条件来观察人们……并且仅仅限于在感情范围内承认‘现实的、单个的、肉体的人’，也就是说，除了爱与友情，而且是理想化了的爱与友情以外，他不知道‘人与人之间’还有什么其他的‘人的关系’”[②]。随后，马克思和恩格斯又以费尔巴哈在面对积劳成疾的和患肺痨的穷苦人求助于‘最高的直观’和观念上的‘类的平等化’为比方，指出费尔巴哈把人和社会抽象化的症结所在，即“他从来没有把感性世界理解为构成这一世界的个人的全部活生生的感性活动”[③]。同时需要指出的是，也正是在此批判过程中，马克思、恩格斯和费尔

①《马克思恩格斯选集》第1卷，北京：人民出版社，2012年，第157页。
②《马克思恩格斯选集》第1卷，北京：人民出版社，2012年，第157页。
③《马克思恩格斯选集》第1卷，北京：人民出版社，2012年，第157页。

巴哈彻底划清了界限。

在一定意义上可以说，历史唯物主义的系统阐发和对费尔巴哈的系统批判是同时进行和不可分割的。一方面，正是意识到费尔巴哈的历史与唯物主义之间的断裂——“当费尔巴哈是一个唯物主义者的时候，历史在他的视野之外；当他去探讨历史的时候，他不是一个唯物主义者”[①]——马克思和恩格斯才从感性对象性活动出发，克服了费尔巴哈哲学的直观性，建立了历史和唯物主义的有机统一性，使得历史唯物主义的出场成为可能；另一方面，要想深入批判费尔巴哈哲学的直观性并找到其根本的症结所在又必须要诉诸于历史唯物主义的系统阐发。总之，第一章的这部分内容是相互联系、内在贯通的，二者共同构成了这一章的核心内容。

（三）对布鲁诺·鲍威尔的彻底批判

马克思和恩格斯在《德意志意识形态》第二章以《二、圣布鲁诺》为题对曾经是青年黑格尔派中执牛耳的人物——布鲁诺·鲍威尔[②]的思想观点进行了深入的批判。事实上，马克思、恩格斯在《神圣家族》中就已经对鲍威尔的自我意识哲学和唯心主义历史观进行了深刻批判，那么为什么他们又再次对鲍威尔进行了清算？这是因为，面对马克思、恩格斯在《神圣家族》中深刻而又极其尖锐的批判，鲍威尔并未虚心接受，反倒继续兜售自己的思想，并指责马克思和恩格斯犯了轻浮的毛病。针对鲍威尔自以为是的自我辩驳和无理取闹的指责，马克思、恩格斯在《德意志意识形态》中详尽地对其进行了回应，

①《马克思恩格斯选集》第1卷，北京：人民出版社，2012年，第158页。

② 文中用鲍威尔或圣布鲁诺指称布鲁诺·鲍威尔。

并从(1)"征讨"费尔巴哈;(2)圣布鲁诺对费尔巴哈和施蒂纳之间的斗争的思考;(3)圣布鲁诺反对"神圣家族"的作者;(4)与"莫·赫斯"的诀别等四个部分展开了对鲍威尔的尖锐批判和清算。

首先,在"'征讨'费尔巴哈"中,马克思、恩格斯指出,费尔巴哈与施蒂纳之间的论战其实与鲍威尔没有丝毫关系,而鲍威尔之所以大声疾呼、挑起战火,主动介入这场与自己没有任何关系的论战,只不过是为了保全自己和自己的陈腐发酵的批判,只不过是为了表明"批判"依然如故、一成未变。换句话说,鲍威尔之所以有如此这般的行为,只不过是为了再度宣扬自我意识哲学而已。同时,马克思、恩格斯指出,鲍威尔始终没有离开过思辨的基地来解决思辨的矛盾,他同其他所有哲学家和思想家一样,"错误地把思想、观念、现存世界在思想上的独立化了的表现当作这个现存世界的基础"[①],并用自我意识和实体这两个已变得毫无意义和毫无内容的抽象来变各式各样的戏法,而对现实的人及其各种关系则一无所知。在此基础上,马克思和恩格斯深刻揭露了鲍威尔自我意识哲学的问题所在,即"在他看来,关于现实问题的哲学词句就是现实问题本身"[②]。

其次,在"圣布鲁诺对费尔巴哈和施蒂纳之间的斗争的思考"中,马克思和恩格斯指出,当鲍威尔对费尔巴哈说了一些相当有分量的话之后,就开始考察费尔巴哈和施蒂纳"唯一者"之间的斗争。然而鲍威尔轻而易举地就将他们二者完全

①《马克思恩格斯全集》第3卷,北京:人民出版社,1956年,第93页。
②《马克思恩格斯全集》第3卷,北京:人民出版社,1956年,第93页。

驳倒了，因为他采取了一个简便的办法，就是分而治之，即他使费尔巴哈的人与施蒂纳对立，又使施蒂纳的唯一者和费尔巴哈相对立。也就是说使他们自己发生争执，然后宣布彼此双方斗争之后剩余的东西是“实体”，并认为它应当永远受到诅咒。对此，马克思和恩格斯指出，当鲍威尔把费尔巴哈和施蒂纳完全对立起来的时候，他只不过是“完全重复了黑格尔关于斯宾诺莎和费希特所说的话”[①]。联系马恩在《神圣家族》中对黑格尔哲学体系的分析——在他们看来，黑格尔哲学不过是由斯宾诺莎的实体、费希特的自我意识以及这两个要素的矛盾统一即绝对精神这三部分组成——不难发现，马克思、恩格斯这句话的意思是指，鲍威尔仅仅只是把费尔巴哈的“人”归于实体，把施蒂纳的“唯一者”认作是费希特的自我意识而已。这意味着，鲍威尔对费尔巴哈和施蒂纳之间斗争的理解不过是再度表明他依旧是从黑格尔的思辨哲学出发，没有离开过黑格尔哲学半步而已。

再次，在圣布鲁诺反对“神圣家族”的作者中，针对鲍威尔对《神圣家族》的反驳，马克思、恩格斯对鲍威尔的“批判活动”进行了再次清理。鲍威尔抓住《神圣家族》中马克思、恩格斯所说的，“现实的人道主义在德国没有比唯灵论或者说思辨唯心主义更危险的敌人了”[②]这段话大做文章，指责他们根本算不上是“真正的人道主义”，至多是与感性纠缠在一起无法脱身的即被感性拖累的人道主义罢了。所以，他运用一系列的“不配”对《神圣家族》推崇的费尔巴哈展开了深刻地批判，他

①《马克思恩格斯全集》第3卷，北京：人民出版社，1956年，第102页。

②《马克思恩格斯全集》第2卷，北京：人民出版社，1957年，第7页。

指责费尔巴哈不配知道批判家是真正能够改变苦难现实的人、不配知道批判的巨大威力、也不配知道发展中的批判。与此同时，鲍威尔又再次重申了批判和批判家的地位。在他看来，批判和批判家是从自身中、从自己的行动中、从批判中、从自己的敌人中、从自己的创造物中吸取力量的，因而他们是最高的主宰力量，掌管着世间的“生杀大权”，他们合力共同支配着人类的整个历史，创造了世间的一切事物，包括现代世界的一切政治运动。在这里，鲍威尔把批判家与批判严格区别开来，成为两个对立的主体而不再是我们通常所理解的主体和主体行为的关系。换句话说，批判是一个自在自为的主体，批判家同样也是一个独立自为的主体。需要指出的是，批判家是具体的活生生的人，因而不能排除他们在展开批判的时候出现脱离“正轨”的可能。这样一来，只有符合精神内在本质的批判才是真正彻底的批判。殊不知，鲍威尔强调的批判毋宁说恰恰是马克思和恩格斯曾在《神圣家族》中所竭力批判和反对过的“批判”，但对鲍威尔来说好像什么也没发生似的，它又原原本本的重新出现在这里。对此，马克思、恩格斯指出，鲍威尔脱离现实生活过程本身，把批判完全放置在纯粹的精神领域的做法是彻彻底底的“批判的批判”，完全没有脱离思辨的基地，也根本不可能成为推动历史前进的真正力量。

最后，在与“‘莫·赫斯’的诀别”中，马克思、恩格斯着重批判鲍威尔所谓的“恩格斯和马克思尚未完成的东西，莫·赫斯正在完成”一语并揭露了鲍威尔依旧站在黑格尔派的马背上耀武扬威的错误实质。在鲍威尔看来，赫斯完成了马克思、恩格斯所没有完成的东西，那这个东西是什么呢？他指出，这个东西恰好就是对施蒂纳的批判。与此同时，鲍威尔却又批评了赫斯，他指责赫斯在一些地方没有了解费尔巴哈，并且还抄袭了黑格尔的观点。对此，马克思、恩格斯一针见血地指出，真正依赖并抄袭黑格尔的正是鲍威尔自己，并且他们进一步指出，鲍威尔所做的这一切都只不过是通过自身、在自身中并与自身一起完成的。而这个“自身”是什么呢？实质上，就是思辨和观念。也就是说，鲍威尔始终没有从黑格尔哲学的立场上挪动一步，他仍旧是在黑格尔的立场上耍一些把现实问题归结于哲学词语的拙劣把戏而已。

总之，《德意志意识形态》的第二章，主要是批判鲍威尔在《维德季刊》上发表的《评路德维希·费尔巴哈》一文，批判的核心点在于，马克思和恩格斯通过详细分析鲍威尔自我辩护的言论和自以为是的观点，指出他的自我意识哲学以及所做的理论努力，不过是更进一步验证他始终是黑格尔哲学的一个支脉，更加说明他不可能克服思辨哲学的唯心主义实质，也就不可能找到通达社会现实的道路以触及当时德国的社会现实，最终只能是以关于现实的词句来充当社会现实本身。

（四）对施蒂纳的全面批判

《德意志意识形态》第一章第三部分以“圣麦克斯”为题对施蒂纳的代表作《唯一者及其所有物》进行了系统批判。从篇幅上看，这一部分占据了《形态》整个文本的三分之二，这足见施蒂纳哲学本身的重要地位以及马克思、恩格斯对施蒂纳哲学的重视。从结构上看，这部分主要分为“旧约：人”和“新约：我”两大部分，具体展开为对施蒂纳的利己主义思想、财产观、国家观、自由观以及施蒂纳的“唯一者”哲学的批判。

从批判手法上看，由于施蒂纳在其著作《唯一者及其所有物》中大量引用《圣经》中有关精神统治世界的无稽之谈，所以马克思和恩格斯主要仿照基督教《圣经》的语言对施蒂纳展开批判，这就是第三部分的总体概况。

首先，马克思、恩格斯批判了施蒂纳的利己主义思想。利己主义是施蒂纳哲学思想的核心，也是施蒂纳的价值追求，他将利己主义者分为"通常理解的利己主义者"即以早期资产阶级和市民阶层为代表的一心为己、枯燥无味、斤斤计较的自私自利者；"自我牺牲的利己主义者"即只为"一个统帅的欲望"而牺牲掉其他一切欲望的利己主义者和"自我一致的利己主义者"，即把我既当作出发点又当作目标的"真正的利己主义者"三类。其中，"通常理解的利己主义者"（相当于事物世界的俘虏、儿童、黑人和古代人等）和"自我牺牲的利己主义者"（相当于思想世界的俘虏、青年、蒙古人和近代人等）都是普通的利己主义者，并且二者是对立的，只有"自我一致的利己主义者"是非普通的利己主义者。对此，马克思、恩格斯首先批判了施蒂纳极力虚夸的"自我牺牲的利己主义"和"通常理解的利己主义"，这两个利己主义以及将二者对立起来的做法。在马克思和恩格斯看来，"通常理解的利己主义"代表着个人利益，"自我牺牲的利己主义"代表着共同利益。由于施蒂纳不是从生活出发去理解思维的东西，而是把生活当作思维的产物，用思维的原则来创造生活，所以他无法理解个人利益和普遍利益之间的对立统一关系。对此，马克思、恩格斯对现实的个人利益和普遍利益的产生与形成进行了分析，并指出个人利益和共同利益的对立只是表面的，"因为这种对立的一面即所谓'普遍的'一面总是不断地由另一面即私人利益的一面产生的，它绝不是作为一种具有独立历史的独立力量而与私人利益相对抗，所以这种对立在实践中总是产生了消灭，消灭了又产生。因此，我们在这里见到的不是黑格尔式的对立面的'否定统一'，而是过去的由物质决定的个人生存方式由物质所决定的消灭，随着这种生存方式的消灭，这种对立连同他的统一也同时跟着消灭"[①]。紧接着，马克思、恩格斯又对施蒂纳所谓的"自我一致的利己主义者"进行了批判。对于"自我一致的利己主义者"，施蒂纳荒谬地认为，它具有独一无二的创造性，并将这种创造性归之为精神领域。但在马克思、恩格斯看来，"这不决定于意识，而决定于存在；不决定于思维，而决定于生活；这决定于个人生活的经验发展和表现，这两者又决定于社会关系"[②]。质言之，马克思、恩格斯认为自我一致的利己主义者的创造性只有在社会存在和社会关系的作用下才具备现实性，而施蒂纳的"自我一致的利己主义者"由于脱离现实的社会关系，最后也只能沦为一种抽象的词句。马克思、恩格斯一针见血地指出了施蒂纳利己主义思想的阶级实质，即施蒂纳自以为是的这些论述"归结起来，就是德国小资产者对自己的软弱无力所进行的最庸俗的自我粉饰，从而聊以自慰"[③]。

其次，马克思、恩格斯批判了施蒂纳国家观。在《形态》中，马克思、恩格斯针对施蒂纳在国家观上的错误观点，展开

①《马克思恩格斯全集》第3卷，北京：人民出版社，1956年，第276页。

②《马克思恩格斯全集》第3卷，北京：人民出版社，1956年，第295页。

③《马克思恩格斯全集》第3卷，北京：人民出版社，1956年，第358页。

深刻而又深入的批判。具体而言，马克思、恩格斯对施蒂纳国家观的批判主要分为两点：一是批判了施蒂纳割裂国家、法同私有财产关系，把国家变为脱离现实的独立本质的做法。对于国家与私有财产的关系，施蒂纳认为私人财产和国家财产是相同的，国家夺走了私人财产，从而成为财产的所有者。用他自己的话来说就是“只有权力决定财产……既然只有国家是掌权者，那么只有国家才是所有者”[①]。对此，马克思和恩格斯指责施蒂纳把政治和经济的关系完全颠倒了，应该是经济决定政治而不是政治决定经济。对于法和私有财产的关系，施蒂纳认为私有财产靠法而存在，私有财产它之所以是我的，不是由于我，而是由于法。对此，马克思、恩格斯指出，财产关系“只是生产关系的法律用语”，并不是如施蒂纳所认为的那样——财产关系由法而存在，这意味着，施蒂纳将财产关系与法加以颠倒并将法律当作问题本质的做法是完全错误的。二是批判了施蒂纳的无政府主义思想。施蒂纳反对任何国家和政府，他认为国家是一切苦难和不幸的源头，因此他主张取消一切国家的存在。但是，由于他企图在保存私有制的前提下“废除”国家，所以他所谓的“消灭”国家就成了纯粹的幻想。与施蒂纳的纯粹幻想不同，马克思、恩格斯指出，“现代国家、即资产阶级的统治，是建立在劳动的自由之上的……劳动的自由是工人彼此之间的自由竞争……劳动在所有文明国家中已经是自由的了，现在的问题不在于解放劳动，而在于消

① [德]施蒂纳：《唯一者及其所有物》，金海民译，北京：商务印书馆，2009年，第280页。

灭这种自由的劳动”[①]，这就从根本上揭示了施蒂纳国家观的荒谬之处。

再次，马克思、恩格斯批判了施蒂纳的自由观。在自由观问题上，施蒂纳认为自由总是与限制相伴随而行的。他说，我不能真正的欲图自由，因为我不能做到创造它……它始终是一种理想，一种幽灵，“我愈是自由，更多的强制就愈益在我眼前堆积起来，我就愈益感到我的无力”[②]。比如，对出版自由的追求只能让我在一定的范围内发表言论，政治自由则只能让我获得有限的权利等等。于是，施蒂纳区分了自由和独立性，在他看来自由是别人赋予的，而独立性则不受他人限制且构成自由之所以可能的条件，并且他认为独自性创造了一种新的自由，拥有独自性的人可以随心所欲地获得自己想要的一切。对此，马克思、恩格斯批判道，施蒂纳把现实的自由变成了抽象观念中的自由，变成了统治我们的神圣观念。然而，现实中人们发明火车头从而利用火车来进行远程运输并不是由于人们的纯粹观念决定的，“这种发明的可能性甚至绝对必要性，是由实际情况产生的”[③]。所以，马克思、恩格斯讥讽施蒂纳“总是把经验关系头脚倒置”。他们指责施蒂纳仅仅在观念中来回讨论自由，而没有将“自由”置于现实生活中去理解，因此他不知道生产力的发展是消除各种限制的根本原因，更不知道自由的实现依赖于现实的实践活动。此外，马克思、恩格

---

①《马克思恩格斯全集》第3卷，北京：人民出版社，1956年，第223—224页。

②［德］施蒂纳：《唯一者及其所有物》，金海民译，北京：商务印书馆，2009年，第171页。

③《马克思恩格斯全集》第3卷，北京：人民出版社，1956年，第344页。

斯还从施蒂纳所属的德国小资产阶级群体来分析其自由观产生的原因，认为这是落后的德国小资产者在面对英、法等先进的资本主义国家时所展现出的无奈心理和软弱举动。尤其是当他们对自由的一切努力一旦遭到破产而且不可避免地遭到破产时，他们又会说什么人本来就不可能是一个摆脱一切的自由者来自我安慰，并以这样的自我安慰而自豪，毋宁说这彻彻底底地显示出在自由问题上德国小资产阶级的软弱和无能。

最后，马克思、恩格斯批判了施蒂纳的"唯一者"哲学。在《唯一者及其所有物》中，施蒂纳集中阐释了他的"唯一者"哲学。在施蒂纳看来，人们致力于调和理想与现实、观念与形体，试图把理想的、观念的东西变成现实的、有形体的东西的行为是没有意义的，因为，"现实与理想的对立是不可调和的对立，一个从来不能变为另一个"[①]。为此，他强调，我们应当成为"唯一者"，成为独一无二的"我"，"我不是作为人而发展人，而是我作为我自己发展自己"[②]。也就是说，人类只是单个人的理想，单个"我"与人类这一理想这二者的关系是不可调和的，只有抛弃这个理想才能成为现实的个人。针对施蒂纳荒谬的"唯一者"哲学，马克思、恩格斯在《形态》中展开了深入批判。

一方面，马克思、恩格斯指出施蒂纳所说的人是没有阶级

① [德]施蒂纳:《唯一者及其所有物》,金海民译,北京:商务印书馆,2009年,第410页。

② [德]施蒂纳:《唯一者及其所有物》,金海民译,北京:商务印书馆,2009年,第409页。

属性的，是没有受到特定的生产关系影响和制约的抽象的人。在他们看来，施蒂纳关于“现实的人不是人”的判断源于资产阶级社会极端化的荒谬关系，是普遍存在于人们的关系与要求之间的普遍矛盾在抽象范围之内的最普遍最广泛的表达。当问及谁是真正的人，是统治阶级，还是被统治阶级的时候，施蒂纳给出的模糊回答就是最好的证明。

另一方面，马克思、恩格斯认为施蒂纳所说的“唯一者”只不过是一个能够从语言和思维的王国引用到现实生活中去的具有神奇力量的“词”，这样的词是根本不存在的，也是没有任何意义的，并进一步从个人之间的私人关系和联系的视角揭示了其产生的原因。在他们看来，在阶级社会中，语言之所以成为了一种看似独立的力量，只不过是分工和交往的片面化使得人与人之间的私人关系和联系独立化的结果，实际上看似独立的语言系统是被歪曲了的社会关系的反映，看似独立的思维也是现实生活的写照。更进一步地，马克思、恩格斯指出，“哲学家们只要把自己的语言还原为它从中抽象出来的普通语言，就可以认清他们的语言是被歪曲了的现实世界的语言，就可以懂得，无论思想或语言都不能组成特殊的王国，它们只是现实生活的写照”[①]。至此，马克思、恩格斯不仅彻底揭示了施蒂纳“唯一者”哲学的错误根源，而且从根本上超越了施蒂纳。

（五）对“真正的社会主义”的总体批判

《德意志意识形态》第二卷的标题为“对各式各样先知所

①《马克思恩格斯全集》第3卷，北京：人民出版社，1956年，第525页。

代表的德国社会主义的批判”，该卷主要批判了当时在德国流行的所谓“真正的社会主义”或“德国社会主义”，揭示了这种假社会主义的哲学基础、社会根源和阶级本质。马克思、恩格斯之所以在《德意志意识形态》中对“真正的社会主义”进行批判，是因为19世纪40年代以莫泽斯·赫斯、卡尔·格律恩、海尔曼·泽米希、鲁道夫·马特伊、奥托·吕宁等为代表的“真正的社会主义”哲学派别在知识分子和工人中产生了很大的不良影响，他们的集会包含许多道德化的和情感的东西，它依托黑格尔哲学和费尔巴哈的人本主义哲学，以诗歌和散文的形式改造法国的社会主义和共产主义文献，声称这种社会主义是改造社会的真正的“科学”，以对普遍的“爱”的宣扬取代了对工人阶级革命热情的宣扬，从而导致了唯心主义和神秘主义。马克思、恩格斯通过对“真正的社会主义”黑格尔式的思辨唯心主义本质的揭露和批判，阐明了“生活决定意识”的唯物史观，为正面宣扬科学社会主义理论，激发工人阶级的革命觉悟与革命热情起到了积极的作用。具体而言，主要包含以下四个方面的内容。

第一，批判海尔曼·泽米希的唯心史观。泽米希在《共产主义、社会主义、人道主义》一文中指出：“在人道主义中一切关于名称的争论都解决了。为什么要分什么共产主义者、社会主义者呢？我们都是人。”①但是，马克思、恩格斯指出，这是典型的黑格尔式思辨哲学，即“把共产主义和社会主义变成了两种抽象的理论、两种原则以后，再给这两个对立面杜撰任

①《马克思恩格斯全集》第3卷，北京：人民出版社，1956年，第550页。

何一种黑格尔式的统一，随便安上一个名称”[1]。泽米希把共产主义看作是法国的现象，把社会主义看作是德国的现象，认为二者最终都会消融于人道主义之中。马克思和恩格斯批判了泽米希对共产主义的理解及其实现形式上的荒谬性，因为真正涉及社会问题时，泽米希就只用观念来解释和统领现实，关于所有制问题即是如此，马克思和恩格斯对此直接批驳道：“这种真正的所有制的理论把至今存在着的一切现实的私有制只看成是一种假象，而把从这种现实的所有制抽象出来的观念看成是这种假象的真理和现实。”[2]这就导致了以泽米希为代表的“真正的社会主义”流派要想通过这种“观念统摄现实”的理论去消除人与人之间的不平等，就只有寄希望于“博爱”等小资产阶级情感，对此，马克思和恩格斯明确指出，这是在用“空洞抽象的词句表达这种幼稚的思想”[3]。

第二，批判鲁道夫·马特伊的神秘主义哲学。马特伊在《社会主义的建筑基石》一文中试图用黑格尔哲学的思辨方法构建人类生活和幸福的统一。他把“满足需要、发展天资、对自己的爱”等看作“生命的自然的、合理的表现”，而社会是自然界的镜子，所以结论就是“在迄今存在过的一切社会形态(也包括现代社会)中，这些生命的表现获得了充分的发展和对其合理性的承认”，而面对现代社会里那些社会不符合自然界的状况，马特伊的方法就是“要求社会依据自然界来安排自

①《马克思恩格斯全集》第3卷，北京：人民出版社，1956年，第540页。
②《马克思恩格斯全集》第3卷，北京：人民出版社，1956年，第554页。
③《马克思恩格斯全集》第3卷，北京：人民出版社，1956年，第548页。

己"[1]。这样一来,个人对社会的要求是从个别性和普遍性的虚构的相互关系引申出来的,而不是产生于社会的现实发展,所以这种社会不需要变革,工人运动也失去了必要性。马特伊把自然界看作"一切生命的基础"[2],马克思和恩格斯指出,这实际上是"把自然界神秘化之后,又把人的意识神秘化,把人的意识变成被他们神秘化了的自然界的'镜子'"[3]。

第三,批判卡尔·格律恩的阶级和平观点。格律恩在《法兰西和比利时的社会运动》中把德国社会主义作为对法国社会主义的批判加以颂扬,而格律恩的这种"德国"的社会主义的特点就在于他用"纯粹的、真正的人"这样的抽象概念来强化作为其思想来源的赫斯的错误,即把"理论体系构成实践运动的'社会背景'和'理论基础'";同时认为,"只要把费尔巴哈和实践联系起来,把他的学说运用到社会生活中去,就可以对现存社会进行全面的批判了"[4]。因此,格律恩错误地认为,法国社会主义要解决社会问题,必须"在德国科学中找出对自己的补充"并"先于黑格尔成为黑格尔"[5]。格律恩从人道和人性出发,主张以此实现人的解放,并反对阶级斗争和暴力革命,否认在德国进行民主革命的必要性。可他用"纯粹的、真正的人"这样的抽象概念来解释现实的社会运动,就注定滑入了黑格尔式的客观唯心主义的深渊。

第四,批判奥尔格·库尔曼的唯灵论。库尔曼始终坚持

---

①《马克思恩格斯全集》第3卷,北京:人民出版社,1956年,第562—563页。
②《马克思恩格斯全集》第3卷,北京:人民出版社,1956年,第560页。
③《马克思恩格斯全集》第3卷,北京:人民出版社,1956年,第558页。
④《马克思恩格斯全集》第3卷,北京:人民出版社,1956年,第580页。
⑤《马克思恩格斯全集》第3卷,北京:人民出版社,1956年,第578页。

"观念的社会是世界,而这些观念的统一支配和统治着世界"[①]。库尔曼的"真正的社会主义"的错误在于,把整个历史发展归结为历史发展进程在"当代所有的哲学家和理论家"的头脑中形成的理论抽象。他所做的是把"实在的社会变为'观念的社会'",进而"把已经在所有文明国家中成为严峻的社会变革的先驱者的现实社会运动,变为安逸的、和平的改变,变为宁静的、舒适的生活,在这样的生活中世界上的一切有产者和统治者可以高枕无忧了"[②]。所以,马克思、恩格斯一针见血地指出,库尔曼只不过是一个唯灵论的骗子,一个笃信宗教的瑞士传教士而已。

马克思、恩格斯在《德意志意识形态》第二卷中分析了"真正的社会主义"流派的各种错误意识形态产生的根源。"一切划时代的体系的真正的内容都是由于产生这些体系的那个时期的需要而形成起来的。所有这些体系都是以本国过去的整个发展为基础的,是以阶级关系的历史形式及其政治的、道德的、哲学的以及其他的后果为基础的。"[③]在揭露"真正的社会主义"流派的思辨唯心主义本质的同时,马克思和恩格斯还指出了与之密切相关的德国民族性,即德国人"是从永恒的观点根据人的本质来判断一切的,而外国人却是从实际出发,根据实际存在的人们和关系来观察一切。外国人思考和行动是为了自己所处的时代,而德国人思考和行动却是为了永恒"[④]。

①《马克思恩格斯全集》第3卷,北京:人民出版社,1956年,第632页。
②《马克思恩格斯全集》第3卷,北京:人民出版社,1956年,第639页。
③《马克思恩格斯全集》第3卷,北京:人民出版社,1956年,第544页。
④《马克思恩格斯全集》第3卷,北京:人民出版社,1956年,第639页。

通过对"真正的社会主义"的思辨哲学基础和对德国民族性的批判，马克思、恩格斯进一步揭露了"真正的社会主义"的错误，指出了它的反动属性。"真正的社会主义"之所以把法国的社会主义和共产主义文献当作纯理论的著作，认为它们是从纯粹的思想中产生的，而没有把它们当作一定的现实运动的表现和产物，原因就在于德国的社会环境和历史发展。"德国人没有英法两国人所有的那种发达的阶级关系，所以，德国共产主义者只能从他们出身的那个等级的生活条件中攫取自己的体系的基础。"[①]从另一方面来讲，法国社会主义和共产主义这些文献即使是在宣传某些体系，"它们仍然是以实际的需要为基础，是以一定国家里的一定阶级的生活条件的总和为基础的"[②]。

总之，以思辨哲学为基础的"真正的社会主义"流派在历史观上本末倒置，通过抽象的观念来解释和统摄现实的实践发展，而且还沿袭了德意志民族缺乏其他民族那样尖锐的阶级对立的缺点，削弱了"共产主义意识的尖锐性和坚定性"。因此，马克思、恩格斯才强调，像德国这样的国家更应该"反对一切能够更加冲淡和削弱对于共产主义同现存秩序的充分对立性的认识的词句"[③]，尽快清除"真正的社会主义"对共产主义运动的危害，以实现"使现存世界革命化，实际地反对和改变事物的现状"[④]。

---

①《马克思恩格斯全集》第3卷，北京：人民出版社，1956年，第544页。

②《马克思恩格斯全集》第3卷，北京：人民出版社，1956年，第535页。

③《马克思恩格斯全集》第3卷，北京：人民出版社，1956年，第554页。

④《马克思恩格斯全集》第3卷，北京：人民出版社，1956年，第48页。

三、全书重要理论解析

(一) 社会分工理论

马克思、恩格斯指出,人类生产活动从一开始就存在着分工。分工起初只是自然的分工,即性别的分工以及因体力和天赋差别而产生的分工等。后来随着生产的发展,在自然分工的基础上产生了真正的社会分工。"分工只是从物质劳动和精神劳动分离的时候起才开始成为真实的分工"[①];"因为分工不仅使物质活动和精神活动、享受和劳动、生产和消费由各种不同的人来分担这种情况成为可能,而且成为现实。"[②]分工不仅使生产力、社会状况和意识三者之间的矛盾成为现实,而且导致了对人的强制性束缚。分工出现的同时产生了对劳动及其产品分配的不平等,分工从最初起就包含着劳动条件、劳动工具和材料的分配,也包含着积累起来的财富在各个私有者之间的分配,包含着财富和劳动之间的分裂以及所有制各种不同形式的区分。分工发展的不同阶段,也就是所有制的各种不同形式。"其实,分工和私有制是两个同义语,讲的是同一件事情,一个是就活动而言,另一个是就活动的产品而言。"[③]

通过对分工范畴的考察,马克思、恩格斯深刻地说明了生产活动与分工的相互关系。他们认为,正是在社会分工的基础上,才形成了其他社会活动形式以及不同的所有制形式,并

---

①《马克思恩格斯全集》第3卷,北京:人民出版社,1956年,第35页。

②《马克思恩格斯全集》第3卷,北京:人民出版社,1956年,第36页。

③《马克思恩格斯全集》第3卷,北京:人民出版社,1956年,第37页。

造成阶级之间的对立。分工“首先引起工商业劳动和农业劳动的分离，从而也引起城乡的分离和城乡利益的对立。分工的进一步发展导致商业劳动和工业劳动的分离”[①]。随着分工的发展，人类历史上先后出现了部落所有制、古典古代的公社所有制和国家所有制、封建的或等级的所有制以及资产阶级所有制等私有制形式。这说明，分工又是形成和制约生产关系和其他社会关系的现实基础，因此分工不仅与所有制有着不可分割的联系，而且也与阶级的产生有着极为密切的联系。在分工的范围内，私人关系必然地会发展为阶级关系，并作为这样的关系固定下来。马克思、恩格斯指出，物质劳动和精神劳动的最大一次分工，造成了城乡的分离和对立、阶级的对立。随着生产力和社会分工的发展，阶级关系也在不断发生着变化。

（二）意识形态理论

在《德意志意识形态》中，马克思、恩格斯从两个层面上阐述了“意识形态”的概念内涵。一是从批判和否定的层面，指出以费尔巴哈、鲍威尔、施蒂纳为代表的德国主流哲学和各式各样的德国社会主义所构成的“德意志意识形态”是虚假的观念体系。这里的“虚假观念”并非指错误的或不存在的观念体系，而是指源于主客体关系颠倒、具体的人和抽象的人本末倒置，“意识形态家使一切本末倒置”[②]，“在通常的意识中事情被本末倒置了”[③]。马克思、恩格斯一是从批判和否定意义上阐

①《马克思恩格斯全集》第3卷，北京：人民出版社，1956年，第24-25页。

②《马克思恩格斯全集》第3卷，北京：人民出版社，1956年，第214页。

③《马克思恩格斯全集》第3卷，北京：人民出版社，1956年，第215页。

明了这种以观念代替现实、把现实批判局限于宗教批判的思辨的唯心史观的实质。二是从客观和还原的层面，指出意识形态是阶级社会中统治阶级维护自己统治地位的思想体系。“统治阶级的思想在每一时代都是占统治地位的思想。这就是说，一个阶级是社会上占统治地位的物质力量，同时也是社会上占统治地位的精神力量。支配着物质生产资料的阶级，同时也支配着精神生产资料，因此，那些没有精神生产资料的人的思想，一般地是隶属于这个阶级的。”[①]

在《德意志意识形态》中，马克思、恩格斯就意识形态的形成过程、本质属性和发展规律展开了深刻剖视，逐步构建其意识形态理论。

1. 关于意识形态的形成过程。马克思、恩格斯认为“意识起初只是对直接的可感知的环境的一种意识，是对处于开始意识到自身的个人之外的其他人和其他物的狭隘联系的一种意识。同时，它也是对自然界的一种意识……这是对自然界的一种纯粹动物式的意识（自然宗教）”[②]。后来，随着社会生产力的发展、特别是以“物质劳动和精神劳动分离”为标志的真正意义上的分工的形成，“从这时候起意识才能现实地想象：它是和现存实践的意识不同的某种东西；它不用想象某种现实的东西就能现实地想象某种东西。从这时候起，意识才能摆脱世界而去构造‘纯粹的’的理论、神学、哲学、道德等等”[③]。

①《马克思恩格斯全集》第3卷，北京：人民出版社，1956年，第178页。
②《马克思恩格斯选集》第1卷，北京：人民出版社，2012年，第161页。
③《马克思恩格斯选集》第1卷，北京：人民出版社，2012年，第162页。

2. 关于意识形态的本质属性。马克思、恩格斯认为，首先，阶级性是意识形态最鲜明的本质属性。占统治地位的阶级的物质力量决定了其思想意识也必然是占统治地位的。“构成统治阶级的各个个人也都具有意识，因而他们也会思维；既然他们作为一个阶级进行统治，并且决定着某一历史时代的整个面貌，那么，不言而喻，他们在这个历史时代的一切领域中也会这样做，就是说，他们还作为思维着的人，作为思想的生产者进行统治，他们调节着自己时代的思想的生产和分配；而这就意味着他们的思想是一个时代的占统治地位的思想。”[①]其次，意识形态具有“普遍性”和“特殊性”的二重性。即统治阶级总是企图把本阶级的特殊利益说成是共同利益，把本阶级的思想描绘成有普遍意义的思想。“每一个企图代替旧统治阶级的地位的新阶级，就是为了达到自己的目的而不得不把自己的利益说成是社会全体成员的共同利益，抽象地讲，就是赋予自己的思想以普遍性的形式，把它们描绘成唯一合理的、有普遍意义的思想。”[②]这里的“普遍性”揭示了统治阶级具有自觉或不自觉地掩蔽人们现实生活和交往关系真相的“特殊性”，也揭示了意识形态依靠“普遍性”的形式来实现观念统治的规律。其三，意识形态具有非独立性，即意识形态没有自己的历史，是人们“实际活动”的“反射或回声”，“因此，道德、宗教、形而上学和其他意识形态，以及与它们相适应的意识形式便失去独立性的外观。它们没有历史，没有发

①《马克思恩格斯选集》第1卷，北京：人民出版社，2012年，第179页。
②《马克思恩格斯全集》第3卷，北京：人民出版社，1956年，第54页。

展”[1]。这一论断表明，意识形态是人们实践活动的产物和反映，意识形态的历史实际上就是人们物质生产与物质交往的历史，意识和现实的矛盾在本质上是现存的社会关系和现存的生产力之间的矛盾的反映。

3. 关于意识形态的发展规律。在《德意志意识形态》中，马克思、恩格斯揭示了意识形态的产生、转化或消亡的矛盾运动规律。马克思和恩格斯在探讨人类社会发展一般规律的基础上认为，意识形态是生产力发展到较高水平和社会分工发展到一定程度和条件下的产物。统治阶级的意识形态必须转化为社会生产和社会交往主体能够接受的带有普遍性的社会意识形式，才能实现意识形态的功能，进而实现阶级统治的目的。意识形态家或理论家、哲学家是社会发展的必然要求，他们承担着意识形态“转化”(即教育、教化、宣传)的重要工作——“分工也以精神劳动和物质劳动的分工的形式出现在统治阶级中间，因为在这个阶级内部，一部分人是作为该阶级的思想家而出现的(他们是这一阶级的积极的、有概括能力的思想家，他们把编造这一阶级关于自身的幻想当作谋生的主要泉源)。”[2]马克思、恩格斯也由此进一步推论，要消灭意识形态的矛盾，“只能靠个人重新驾驭这些物的力量并消灭分工的办法来消灭”[3]，“意识的一切形式和产物不是可以用精神的批判来消灭的，也不是可以通过把它们消融在‘自我意识’中或化为‘幽灵’、‘怪影’、‘怪想’等等来消灭的，而只有实际地推翻

①《马克思恩格斯全集》第3卷，北京：人民出版社，1956年，第30页。
②《马克思恩格斯全集》第3卷，北京：人民出版社，1956年，第53页。
③《马克思恩格斯全集》第3卷，北京：人民出版社，1956年，第84页。

这一切唯心主义谬论所由产生的现实的社会关系，才能把它们消灭”[①]，也即意识形态的矛盾运动规律。在《德意志意识形态》中，马克思和恩格斯阐明了意识形态冲突的根源在于生产力和交往形式之间的矛盾——“一切历史冲突都根源于生产力和交往形式之间的矛盾。”[②]

（三）市民社会理论

在《德意志意识形态》中，马克思和恩格斯从两个层面上阐述了“市民社会”的概念内涵，这两个层面的差别主要体现在它们出现的时间，以及所包括的范围上。一是广义的市民社会，指贯穿整个人类历史的市民社会。“受到迄今为止一切历史阶段的生产力制约同时又反过来制约生产力的交往形式，就是市民社会。”[③]按照这一说法，只要存在着生产力和交往，就存在着市民社会。那么，马克思和恩格斯是如何看待一切历史阶段上的“交往形式”的呢？他们认为，人类第一个历史活动是生产物质本身。因此，随着物质生产活动的展开和进一步发展就产生了人与人之间各种各样的交往。在所有的交往形式中，马克思认为物质交往特别是生产过程中的物质交往是一切交往的基础和源泉。所以，作为交往形式的市民社会必然包括人们之间的物质交往。从这个意义出发，作为交往形式的市民社会实质上就是社会物质交往的总和。二是狭义的市民社会，就马克思所处的时代及其社会批判的对象而言，特指资产阶级社会。在《德意志意识形态》中，马克思

---

①《马克思恩格斯全集》第3卷，北京：人民出版社，1956年，第43页。

②《马克思恩格斯选集》第1卷，北京：人民出版社，2012年，第196页。

③《马克思恩格斯选集》第1卷，北京：人民出版社，2012年，第167页。

和恩格斯则进一步明确了狭义市民社会的诞生时间和内涵："'市民社会'这一用语是在18世纪产生的，当时财产关系已经摆脱了古典古代的和中世纪的共同体。真正的市民社会只是随同资产阶级发展起来的。"[①]可见，这里的市民社会特指建立在整个工业生活和商业生活基础之上的资产阶级社会。

市民社会的本质规定与黑格尔仅仅将市民社会看作需要的体系不同，马克思认为"市民社会包括各个人在生产力发展的一定阶段上的一切物质交往。它包括该阶段的整个商业生活和工业生活……'市民社会'这一名称始终标志着直接从生产和交往中发展起来的社会组织，这种社会组织在一切时代都构成国家的基础以及任何其他的观念的上层建筑的基础"[②]。接着，马克思又阐明真正的市民社会是随着市场经济发展起来的。马克思、恩格斯把市民社会的本质理解为经济关系，其原因在于，市民社会以整个商业生活和工业生活为内容，具体包括生产活动、社会活动、精神活动等诸活动的基本方式。而且，物质交往活动恰恰是满足市民社会主体各种需要的基本方式，否则人就丧失成为真正意义上人的前提和内容。同时，马克思、恩格斯认为，在物质交往过程中人们之间形成了多重关系，既包括直接起决定作用的，也包含了间接起作用的各种关系，比如，互助、宽容等。这表明市民社会既有物质利益性，还有其他的多样性。

---

①《马克思恩格斯选集》第1卷，北京：人民出版社，2012年，第211页。

②《马克思恩格斯选集》第1卷，北京：人民出版社，2012年，第211页。

（四）世界历史理论

根据生产力与生产关系的辩证关系，由此驱动的人类历史必然会走向世界历史。对于这一历史发展趋势的深刻把握，也是《德意志意识形态》这本著作中的重要内容。马克思、恩格斯指出："各个相互影响的活动范围在这个发展进程中愈来愈扩大，各民族的原始闭关自守状态则由于日益完善的生产方式、交往以及因此自发地发展起来的各民族之间的分工而消灭得愈来愈彻底，历史就在愈来愈大的程度上成为全世界的历史。"①

马克思、恩格斯首先从物质生产的现实基础出发把握世界历史。他们举例阐释道："如果在英国发明了一种机器，它夺走了印度和中国的千千万万工人的饭碗，并引起这些国家的整个生存形式的改变，那末，这个发明便成为一个世界历史性的事实；同样，砂糖和咖啡在19世纪具有了世界历史的意义，是由于拿破仑的大陆体系所引起的这两种产品的缺乏推动了德国人起来反抗拿破仑，从而就成为光荣的1813年解放战争的现实基础。由此可见，历史向世界历史的转变，不是'自我意识'、宇宙精神或者某个形而上学怪影的某种抽象行为，而是纯粹物质的、可以通过经验确定的事实，每一个过着实际生活的、需要吃、喝、穿的个人都可以证明这一事实。"②

马克思、恩格斯在《德意志意识形态》中从分工与交往的逻辑揭示了世界历史的形成过程。大致划分为三个阶段：第一个阶段是中世纪后期商人阶层的出现，这标志着"同附近地

---

①《马克思恩格斯全集》第3卷，北京：人民出版社，1956年，第51页。

②《马克思恩格斯全集》第3卷，北京：人民出版社，1956年，第51—52页。

区以外的地区建立贸易联系的可能性”[1]。第二个阶段开始于17世纪中叶至18世纪末的工场手工业的深入发展。如果说商人阶层的流动是商业资本驱动工业生产，那么工场手工业的出现就意味着工业生产驱动了商品交换市场的扩大，推动了国外市场的开辟。第三个阶段是资本主义大工业生产阶段。马克思、恩格斯在《德意志意识形态》中直接指出，大工业“首次开创了世界历史”[2]。换言之，机器化大工业的生产形态才是“民族历史”向“世界历史”深刻变革的经济基础。

马克思、恩格斯正是在上述三个历史阶段的叙述中深刻揭示了大工业生产与世界历史之间的普遍关联。从等级资本到商业资本，继而再到工业资本，资本形态跃迁的背后则是生产方式的深刻变革。在《德意志意识形态》中，分工与交往的逻辑是马克思分析世界历史发展过程的前提，基于这样的前提和逻辑，世界历史才是历史过程的现实展开，而非哲学观念的抽象演绎。

（五）共产主义理论

在《德意志意识形态》中，马克思、恩格斯从唯物史观的立场和方法出发，对共产主义理论进行了阐释，论证了共产主义胜利的实现条件、本质特征和未来愿景。

第一，共产主义的建立具有经济上的性质，必须以生产力的巨大增长和高度发展为前提，同时需要坚定的阶级基础。“如果还没有具备这些实行全面变革的物质因素，就是说，一方面还没有一定的生产力，另一方面还没有形成不仅反抗旧

---

①《马克思恩格斯全集》第3卷，北京：人民出版社，1956年，第59—60页。

②《马克思恩格斯全集》第3卷，北京：人民出版社，1956年，第68页。

社会的个别条件，而且反抗旧的‘生产生活’本身、反抗旧社会所依据的‘总和活动’的革命群众，那么，正如共产主义的历史所证明的，尽管这种变革的观念已经表述过千百次，但这对于实际发展没有任何意义。”①

第二，共产主义是对资本主义意识形态和私有制的扬弃。这个思想，后来在《共产党宣言》里作了这样的表述：“共产主义革命就是同传统的所有制关系实行最彻底的决裂，并在自己的发展进程中同传统的观念实行最彻底的决裂。”②但是，共产主义并不消灭人类历史上创造的一切物质财富和文化财富，例如，共产主义并不是要消灭教育。“仅仅是要改变教育的性质，要使教育摆脱统治阶级的影响。”③

第三，共产主义是每个人通过自己的联合而获得自由的“真正的共同体”，是建立在感性活动基础上的自由个性的实现。马克思、恩格斯认为，人的解放不仅仅是一种价值诉求，也不仅仅是一种思想运动，它是一种历史性的现实社会运动，因而需要在科学分析社会内在矛盾特别是人类历史发展基本规律的基础上，依靠改变世界的现实力量来加以完成。换言之，共产主义作为一种革命性的运动，它的主要目的是为了人类能够获取自由和解放，就当时的现状而言，阶级斗争应该是具体的、历史的——人们在生产生活中，离不开物的交换，而创造的物是作为物与物之间交换的主体存在的，原本物是人所造，通过人与人之间的交换，物产生了价值，但是在物与物

①《马克思恩格斯选集》第1卷，北京：人民出版社，2012年，第173页。
②《马克思恩格斯选集》第1卷，北京：人民出版社，2012年，第6页。
③《马克思恩格斯全集》第4卷，北京：人民出版社，1958年，第486页。

的交换中，物并没有实现它的主体性，物的主体性转移到持有物品的人的身上，而资本家占有了原本属于创造者也就是劳动者的物的主体性。在这种不平等的情况下，需要拿回原本属于自己的物的权利，那么就必须推翻原有的不公平的秩序，建立一个新的适应无产阶级利益的秩序。通过革命来实现自己对物的主体性的支配，也就是在现实的世界中并使用现实的手段，真正实现人的自由与解放。

延伸阅读

(1) 韩立新:《新版〈德意志意识形态〉研究》，北京：中国人民大学出版社，2008年3月。

(2)《马克思恩格斯选集》第1卷(第三版)，北京：人民出版社，2012年9月。

(3)《马克思恩格斯全集》第3卷，北京：人民出版，1956年。

深度思考

(1) 马克思恩格斯是如何论述唯物史观的前提是现实的个人的?

(2) 画出《形态》一书的逻辑结构图。

(3) 应当如何全面准确地把握马克思主义的意识形态概念?

Reading & Interpretation
大家写小书·马恩经典著作新读

第三章
理论意义与历史意义

马克思、恩格斯于1845年10月至1846年4—5月合著的《德意志意识形态》一书，是马克思、恩格斯为适应当时无产阶级革命需要而著的，是时代的产物，也是实践的产物。它系统地批判了黑格尔之后的思辨哲学以及费尔巴哈人本唯物主义哲学的错误观点，全面论述了一系列历史唯物主义的基本原理，如社会存在决定社会意识、生产方式在社会生活中起决定作用、生产关系必须适应生产力的发展等，在马克思主义发展史乃至世界文明发展史上占有极其重要的地位，具有重要的理论意义和历史意义。

一、理论意义

时代是思想之母，实践是理论之源。《德意志意识形态》作为唯物史观形成的重要代表作，是基于时代的发展和实践的需要而著的。它系统地批判了黑格尔之后的思辨哲学以及费尔巴哈人本唯物主义哲学的错误观点，推动了马克思主义哲学实现革命性变革，是马克思主义哲学形成的标志，其意义重大，影响深远。

（一）揭示了历史唯物主义的逻辑起点

马克思、恩格斯关于“现实的个人”的论断主要是基于黑格尔、费尔巴哈、鲍威尔、施蒂纳以及真正的社会主义者对“个人”的错误理解而提出来的。黑格尔从抽象的视角出发，将人看作是“绝对精神”，将人的创造性活动归结为“绝对精神”的自我发展，这种主客体的根本颠倒引发了青年黑格尔派的哲学批判运动。但青年黑格尔派并没有从根本上摆脱黑格尔唯心主义的哲学基础，而是仅仅局限于通过批判黑格尔哲学的某些方面来反对其整个体系。他们既没有提出关于德国哲学和德国现实之间的联系问题，也没有提出关于他们所作的批判和他们自身的物质环境之间的联系问题。因此，他们没有从特定的历史条件和特定的发展阶段去理解人，没有从“现实的个人”出发去认识历史唯物主义的逻辑起点。费尔巴哈由于缺乏科学的实践观而导致其在历史观上出现了唯心主义的思想倾向，他没有从现实的、历史的维度去理解人的本质，而是从抽象的视角出发去认识人，从抽象的人出发去考察历史，因而无法真正地认识现实的与历史的人，无法唯物主义地探求社会历史的本质及规律。

马克思、恩格斯系统地批判了黑格尔之后的思辨哲学和费尔巴哈人本唯物主义哲学的错误观点，划清了与以往旧哲学的原则界限，并将“现实的个人”作为历史唯物主义的逻辑起点，强调要从现实的视角出发去认识人。他们指出：“我们首先应当确定一切人类生存的第一个前提，也就是一切历史的第一个前提，这个前提是：人们为了能够‘创造历史’，必须能够生活。但是为了生活，首先就需要吃喝住穿以及其他一些东西。第一个历史活动就是生产满足这些需要的资料，即生产物质生活本身，而且，这是人们从几千年前直到今天单是为了维持生活就必须每日每时从事的历史活动，是一切历史的基本条件。”[①]因此，生产物质生活本身则成为了人类的第一个历史活动，生产实践成为了人类最基本的实践活动，人们在生产实践中由此产生的交往关系成为了最基本的社会关系。

①《马克思恩格斯选集》第1卷，北京：人民出版社，2012年，第158页。

马克思、恩格斯通过批判费尔巴哈等人的错误思想，克服了历史上一切旧唯物主义的不彻底性。同时，也将唯心主义从社会历史领域中驱逐出去，防止形成本末倒置的唯心主义历史观，使马克思主义哲学发展成为彻底的唯物主义一元论的世界观，推动马克思主义哲学实现革命性变革。《德意志意识形态》第一次系统阐述了唯物史观的基本原理，是马克思主义哲学形成的标志。“它进一步发展了《神圣家族》和《关于费尔巴哈的提纲》的天才思想，特别是它使得《关于费尔巴哈的提纲》中所建构的新世界观的理论界架构变得丰满起来，成为有血有肉的理论体系，是一个有着丰富内容和深刻思想的哲学世界观。该著作标志着马克思、恩格斯哲学思想形成过程的完成，标志着马克思主义哲学已经成熟。”①

（二）标志着马克思主义意识形态理论的正式诞生

在《德意志意识形态》一书中，马克思、恩格斯从“虚假意识”和“统治意识”两种不同的维度对意识形态进行了科学界定。一方面，他们指出，德国哲学颠倒了存在与意识的关系，坚持以观念为主体，脱离实际，企图以观念代替现实，正如马克思、恩格斯在书中所说，德国哲学是从“天上到地上”，是人类社会意识在私有制阶段的一种特定的历史表象，其中的一个主要特征就是虚假性。因为这种意识实际上是将代表特殊阶级利益的伦理价值披上了抽象的、普遍性的“全社会”的外衣。马克思、恩格斯则主张从实际出发，将意识形态看成是与现实世界紧密相连的一种存在形式，即将意识形态看作是对

① 周向军、车美萍：《马克思主义经典著作精选与导读》，济南：山东大学出版社，2006年，第23页。

现实世界的一种反映。另一方面,他们指出,意识形态不是曲解人类史,就是撇开人类史。曲解人类史是从“虚假意识”的维度去解释意识形态,而“撇开人类史”则是从“统治意识”的维度去解释意识形态。“统治意识”即在资本主义私有制条件下,占统治地位的意识形态,是占统治地位的物质关系在观念上的表现,是统治阶级为了维护本阶级的利益和统治进行的合法性论证和辩护的观念体系。

马克思、恩格斯从无产阶级的立场和观点出发,用科学的世界观批判了资产阶级意识形态,指出了资产阶级思想家站在本阶级的立场上自上而下地谈论意识形态的错误做法,揭示了资产阶级意识形态的虚假性,论述了意识形态的本质特征,认为意识形态具有鲜明的阶级性、系统的理论性、强烈的实践性、相对的独立性和历史的继承性,科学地阐释了意识形态的基本内涵、主要类型和一般特征,这些内容基本构成了历史唯物主义的新意识形态观,标志着马克思主义意识形态理论的诞生。

因此,在《德意志意识形态》一书中,马克思、恩格斯坚持从现实出发、从实践出发,系统阐述了历史唯物主义的一系列基本概念和基本原理,揭示了历史唯物主义的逻辑起点,指明了唯物史观的本质和核心,推动了科学社会主义理论以及世界历史理论的形成与发展,标志着马克思主义意识形态理论的正式形成。

(三)对宣扬共产主义理论起到积极作用

康德、黑格尔等人将“实践”视为“意志的活动”,而没有从实际出发去理解和认识“实践”。与其相反,马克思、恩格斯坚持从实践出发，从而确立了科学的实践观，奠定了整个唯物史观的基础。其中，生产力和交往形式的矛盾运动规律的揭示，就是在此基础上产生的重要理论成果。在《德意志意识形态》一书中，马克思、恩格斯坚持从现实的个人出发，从人的生存方式出发，将个人与自然、与社会联系成为一个有机整体，形成了个人与自然以及个人与他人的统一性问题，这一问题的解决只有在物质生产方式的基础上才能得以实现。其中，在个人与自然的统一性问题上，马克思、恩格斯指出，人必须通过与自然界进行物质交换才能够满足自身生存与发展的需要，而在此过程中人们进行物质交换的能力则决定了其在生产和生活中的其他关系。所以，人们所达到的生产力的总和决定着社会发展状况，但这种生产力并非能够直接决定着全部的社会关系，而是决定了其中最基本的社会关系，即生产物质资料本身的生产关系，由此产生了生产力和生产关系的矛盾运动规律，即社会基本矛盾运动规律，这一运动规律成为了唯物史观的核心。

马克思、恩格斯通过对社会基本矛盾即生产力与生产关系辩证运动的分析，从历史的动态发展过程中去阐明社会结构的状况，即市民社会（经济基础）决定上层建筑的原理。社会结构也由此划分为生产力、生产关系、政治上层建筑以及社会意识形态四个紧密联系的层次，从而科学地揭示了社会运动的内部机制。由此可以看出，唯物史观坚持把与一定生产方式相联系的交往方式作为历史发展的基础，坚持从不以人的意志为转移的物质角度去理解唯物史观，这有利于我们进一步认识社会结构，从根本上阐发由生产力和生产关系的矛盾运动规律引发的不同社会形态的更替规律，为资本主义的灭亡以及社会主义的胜利提供了方法论基础，由此为宣扬共产主义理论奠定了重要基础。因为这一矛盾运动规律深刻地揭示了生产力的发展与资本主义私有制之间的尖锐对立，指出了资本主义生产关系已成为生产力发展的桎梏，由此导致了阶级斗争的空前激化，社会革命也因此不可避免。这种科学认识，使马克思、恩格斯与空想社会主义以及其他各种资产阶级、小资产阶级的社会主义思潮彻底划清了原则界限。在此基础上，马克思、恩格斯进一步提出了关于共产主义社会的一系列重要论断。例如，共产主义的建立必须以生产力的巨大增长和物质高度发展以及世界历史的形成为前提；共产主义是对固定分工、异化和私有制的扬弃；共产主义是每个人通过自己的联合而获得自由的“真正的共同体”，是建立在“自主活动”基础上的自由个性的实现，等等。因此，《德意志意识形态》这部著作在一定程度上为宣扬共产主义理论起到了积极作用。

（四）推动了世界历史理论的形成与发展

马克思、恩格斯从探索历史发展规律的角度出发，对世界历史进行了超地域性和超民族性的界定，为推动世界历史理论的形成与发展奠定了重要基础。其中，生产力的普遍发展和人类的普遍交往及两者之间的交互作用是推动世界历史发展的动力和机制，从而推动了世界历史理论的形成与发展。一方面，马克思、恩格斯从资本主义社会生产力的发展入手进行分析，认为生产力的高度发展必然产生资本主义大工业，而“大工业创造了交通工具和世界市场”。世界市场的扩大推动了生产、交往活动空间范围的扩大，使人类打破了各民族的原始封闭状态，在世界范围内通过生产力的发展和相互交往使各民族间的联系日益加强，推动了民族历史向世界历史的转变。另一方面，交往活动又能够使生产力或生产关系跨越空间范围，并在一定程度上影响不同社会形态的民族国家的生产力或生产关系，为人类历史从民族历史向世界历史的转变奠定了重要基础，推动了世界历史理论的形成与发展。

知识链接 ……………………………………………………

★ 市民社会 ★

市民社会，在古代西方是指市民的共同体——国家，即政治社会。中国古代和中世纪的欧洲，不存在建立在商品经济基础上的市民社会。中世纪末期，出现了从事商品经济的市民阶层，即第三等级。从19世纪开始，“市民社会”被用来特指从中世纪封建社会的种种政治性支配下获得解放的近代市民阶层之间的关系，被认为是一个“脱国家脱政治的领域”。市民是平等的、自由的、具有独立人格的财产所有者。黑格尔将市民社会看作是私人利益的体系，认为个人是市民活动的基础，也重视在生产和交往中发展起来的社会组织的作用，认为市民社会依附于国家。马克思和恩格斯批判地继承了黑格尔的思想，把市民社会看作是市场经济中人与人的物质交往关系和由这种交往关系所构成的社会生活领域。

二、历史意义

马克思、恩格斯坚持从实际出发，在否定之否定的基础上不断推动自身实现理论创新与实践创新，取得了丰硕的理论成果和实践成果。《德意志意识形态》作为马克思、恩格斯早期思想探索的重要阶段性成果，是其系统阐述唯物史观的经典著作，不仅在马克思主义哲学史、马克思主义发展史上具有重要意义，而且在世界文明发展史上也占有重要地位，在人类历史发展长河中具有深远持久的影响，是世界人民宝贵的精神财富。

（一）在马克思主义哲学史上具有革命性意义

恩格斯后来对于发表《德意志意识形态》迟疑不决，原因之一在于，他认为该部著作至少在科学形式上对历史唯物主义的解释还需进一步地加以补充和完善。但这并不意味着《德意志意识形态》这部著作是不重要的，恰恰相反，其重要性是远远不可磨灭的，更是不能够随意被取代的。这部著作作为马克思主义新世界观进一步生成的重要标志，是马克思主义哲学史上具有革命性意义的重要转折。他们彻底批判了以往一切旧哲学的根本缺陷，坚持从现实的人出发去认识社会发展规律，指出了在一定物质生活条件下从事创造活动的现实的个人是唯物史观的前提。接着又确定了唯物史观的核心，科学地论述了生产力与生产关系、经济基础与上层建筑以及社会存在与社会意识的辩证关系，揭示了人类社会的基本规律和社会形态的更替规律，是马克思主义哲学史上具有跨时代意义的伟大转折。历史唯物主义的基本原理第一次能够在现实的基础上科学地、能动地、客观地揭示历史运动的基本规律及社会历史发展规律，在马克思主义哲学史上具有革命性意义，使马克思主义哲学成为彻底的唯物主义一元论的世界观。

（二）在马克思主义发展史上具有承上启下的作用

《德意志意识形态》是唯物史观形成的重要标志，这一伟大的科学发现，不仅使马克思、恩格斯实现了哲学领域的革命性变革，而且也为他们创立完整的马克思主义科学理论体系奠定了牢固的世界观和历史观基础，在马克思主义发展史上具有承上启下的作用。从哲学的角度看，《德意志意识形态》的伟大意义就在于：它使马克思主义哲学成为彻底的唯物主义一元论的世界观，将唯心主义从社会历史领域中驱逐出去，实现了哲学史上的伟大变革；从政治经济学的角度看，《德意志意识形态》中唯物史观的创立为马克思主义政治经济学的创立奠定了牢固的历史观和方法论基础，使马克思主义政治经济学以崭新的面貌呈现在世人面前，推动马克思主义政治经济学研究进入一个新境界。正如恩格斯所言，马克思主义的政治经济学本质上是建立在唯物主义历史观的基础上的。具体而言，《德意志意识形态》虽主要阐述了马克思主义哲学的基本内容，但其中运用了货币、价值、交换、分工、生产、消费、雇佣劳动与资本等政治经济学的基本范畴来剖析资本主义社会的阶级关系和经济运动，提出了物质生产和人自身的生产的“两种生产”理论，揭示了分工及其在社会发展中的作用，划分了所有制形式以及社会形态等。同时，马克思主义唯物史观的形成又助推了马克思和恩格斯政治经济学观点的深化和发展。因为马克思、恩格斯从唯物史观角度研究的人类社会历史的本质及规律能够很好地应用于对资本主义生产方式的研究之中。因此，马克思、恩格斯在《德意志意识形态》这部著作中关于唯物史观的研究又推动了马克思主义政治经济学研究的不断深入，使马克思、恩格斯对政治经济学的研究进入了一个新境界。在马克思随后发表的《哲学的贫困》和《雇佣劳动与资本》等著作中，也能彰显唯物史观对马克思主义政治经济学的革命性意义。在《德意志意识形态》一书中唯物史观的创立，为马克思主义理论体系的创立与发展奠定了牢固的世界观和历史观基础；从科学社会主义的角度看，《德意志意识形态》对科学社会主义理论的发展也具有重要的意义。马克思和恩格斯在唯物史观的基础上揭示了人类社会的基本矛盾，揭示了生产社会化与生产资料资本主义私人占有之间的对立，由此造成了阶级斗争的空前激化，引发了社会革命，推动了共产主义社会的理论与实践发展。因此，只有在新世界观的哲学基础上，马克思和恩格斯才可能对共产主义学说作出科学的理论论证，才能够为共产主义思想找到科学、客观的理论表述，从而使全人类解放的共产主义理想的实现得以可能。因此，从哲学、政治经济学和科学社会主义这三门学科的角度来看，《德意志意识形态》在马克思主义发展史上具有十分重要的地位。但由于其历史局限和实践局限，其相关理论虽具有重要的开创性意义，但仍然需要在实践的基础上进一步地加以完善和发展，该部著作在马克思主义发展史上具有承上启下的重要作用。

（三）在世界文明发展史上具有举足轻重的地位

从唯物史观的发展历程上看，马克思、恩格斯针对黑格尔之后的思辨唯心主义哲学和费尔巴哈的唯心史观进行了批判，把唯心主义从社会历史领域中驱逐出去，推动了社会历史研究的科学化发展,进而推动了世界文明的发展历程。

从世界文明的发展历程上看,马克思、恩格斯从社会基本矛盾及其规律的角度出发,揭示了人类社会发展的基本规律,指出了人类社会形态更替的历史必然性,为消灭资本主义私有制,使人类社会从资本主义社会过渡到社会主义社会和共产主义社会奠定了重要基础,为人类文明从资本主义文明过渡到社会主义文明和共产主义文明创造了条件。同时,马克思、恩格斯基于对人类社会发展规律的把握,对民族历史与世界历史进行了比较,并对世界历史的内涵作出了科学界定。他们指出,生产力的世界化、生产与交往活动空间范围的扩大以及各民族之间相互依赖性的增强是民族历史走向世界历史的过程中所包含的三重规定性。其中,生产力的世界化是民族历史走向世界历史的根本原因。马克思指出,由民族历史走向世界历史的重要途径是建立在“日益完善的生产方式”和“彻底消灭各民族之间的劳动分工”基础之上的,这样就会形成生产力的世界化。而生产、交往活动空间范围的扩大是民族历史走向世界历史的重要途径。马克思、恩格斯认为,在走向世界历史的过程中,人类的生产活动和交往活动的空间范围在不断地扩大,从而打破了“各民族的原始封闭状态”,使人类的相互交往日益普遍和深化。第三重规定性即各民族之间的相互依赖性增强。马克思、恩格斯在描述世界历史涵义时强调,随着各民族间交往活动的日益频繁,扩大了各民族的活动空间,打破了各民族的原始且封闭的状态,增强了各民族间的相互依赖性,消灭了各民族间的分工,推动了民族历史向世界历史的演进历程。这一过程有利于促使人类文明由民族文明和国家文明向世界文明和共产主义文明的演进，推动世界各国文明交流互鉴、博采众长，让“文明交流互鉴成为增进各国人民友谊的桥梁、推动社会进步的动力、维护地区和世界和平的纽带”[①]。同时，也有利于推动世界社会主义实现从空想到科学，从理论到实践的重大发展。人类社会必将从资本主义社会过渡到社会主义社会，最终实现共产主义。因此，《德意志意识形态》有力地推动了世界文明演进，在世界文明发展史上具有举足轻重的地位。

《德意志意识形态》作为马克思主义的理论原典，是研习和宣传马克思主义理论的重要文献。著作中包含的一系列基本原理和基本概念，对马克思主义理论发展乃至一切历史科学发展均具有一定的指导意义和借鉴意义，具有穿越时空的永恒价值，是世界人民共同的精神财富。因此，我们在研读的过程中要做到慎思之、明辨之、笃行之，品味经典的理论精髓，辩证地看待其理论意义与历史意义，以更好地指导我们的学习与生活实践。

延伸阅读

（1）［法］科尔纽：《马克思恩格斯传》，北京：生活·读书·新知三联书店，1980年6月。

（2）张一兵：《马克思哲学的历史原像》，北京：人民出版社，2009年4月。

① 习近平：《开放共创繁荣　创新引领未来——在博鳌亚洲论坛2018年年会开幕式上的主旨演讲》，北京：人民出版社，2018年，第8页。

(3)《德意志意识形态(节选本)》,北京:人民出版社,2018年5月。

深度思考

(1)请你谈谈对"《德意志意识形态》初步构成了历史唯物主义的科学体系"这句话的理解和体会。

(2)请你简述一下《德意志意识形态》中的市民社会理论。

(3)请你谈谈《德意志意识形态》在马克思主义发展史上的地位及作用。

第四章

新时代重读《德意志意识形态》的现实意义

《德意志意识形态》是马克思、恩格斯正面阐释历史唯物主义的经典著作，实现了哲学史上的伟大变革，其所蕴含的思想，不仅具有重要的理论意义和历史意义，也具有重要的当代价值。党的十九大报告指出："中国特色社会主义进入了新时代，这是我国发展新的历史方位。"[①]新时代对当前社会发展提出了新问题、新挑战和新要求。在时代问题的激活下，马克思主义哲学产生了很多理论生长点，《德意志意识形态》中的诸多思想都被激活。虽然从《德意志意识形态》文本中不能找到解决时代问题的直接答案，但是《德意志意识形态》对新时代的现实意义却值得探索。具体来说，《德意志意识形态》中的意识形态思想、世界历史理论、国家观、人的全面发展思想等都具有重要的时代意义。

一、为加强意识形态建设提供思想武器

《德意志意识形态》首次阐述了"意识形态"思想，在人类思想史上具有举足轻重的地位，时至今日仍然显示出真理的魅力。"意识形态工作是党的一项极端重要的工作。"[②]当前，意识形态领域的斗争依然复杂严峻，风险潜隐多发。探寻马克思主义意识形态建设规律，是破解新时代意识形态潜在危机的有效途径。《德意志意识形态》阐释的马克思主义意识形态观为新时代加强意识形态建设提供了坚强有力的思想武器。

---

① 习近平：《决胜全面建成小康社会夺取新时代中国特色社会主义伟大胜利——在中国共产党第十九次全国代表大会上的报告》，人民出版社，2017年，第10页。

② 习近平：《胸怀大局把握大势着眼大事　努力把宣传思想工作做得更好》，《人民日报》，2013年8月21日，第1版。

（一）牢牢掌握党对意识形态工作的领导权

“统治阶级的思想在每一时代都是占统治地位的思想。”[①]虽然马克思对“占统治地位的思想”的论析是从对资产阶级的批判立场出发的，但是基于唯物史观的宏大理论视野，这里的“统治阶级”适用于现存的一切阶级。每个阶级都会有相应的利益诉求，也会有表达本阶级价值主张的思想体系。只要当前社会还存在阶级，在物质生产领域居于支配地位的阶级必然要求获得并巩固意识形态领域的领导权。“政党是代表一定阶级或阶层的利益，为取得和巩固国家政权而活动的政治组织。”[②]正如孙中山所言，政党必有主义，有主义才能组织政党，政党以主义而成立。政党尤其是执政党要为其政治统治建构合法性基础，必须将意识形态领导权掌握在本阶级手中。当今世界正处于百年未有之大变局，经济全球化、文化多元化、网络信息化的历史趋势不可逆转，多元社会思潮交融交锋，不可避免会出现矛盾、冲突甚至斗争；国内全面深化改革进入攻坚期和深水期，利益藩篱固化等难啃的硬骨头成为意识形态风险爆发的潜伏点。作为执政七十年，成立近百年的大党，中国共产党要实现长期执政任重道远，自我革命精神的历练和治国理政本领的加强内在要求提高意识形态建设能力。《德意志意识形态》深刻揭示了意识形态的阶级属性，指明了新时代坚持党管意识形态的原则。历史证明，政权的瓦解往往始于思想领域的混乱，放弃党对意识形态工作的领导权无异于放弃党的执政使命。应旗帜鲜明地反对“意识形态终结论”等说

①《马克思恩格斯选集》第1卷，北京：人民出版社，2012年，第178页。

② 王韶兴：《政党政治论》，济南：山东人民出版社，2011年，第43页。

法，站在与“历史虚无主义”等错误思潮作斗争的最前沿，坚定中国共产党对意识形态工作的领导权，坚持马克思主义在意识形态领域的一元指导地位，并不断推动马克思主义中国化、时代化和大众化，使整个社会找到思想归属和精神依托。

（二）提升社会主义意识形态的引领力和凝聚力

在《德意志意识形态》中，马克思、恩格斯对意识形态普遍与特殊的二重性进行了论证，指出其维护统治阶级利益的基本职能。对此，马克思、恩格斯指出：“每一个企图取代旧统治阶级的新阶级，为了达到自己的目的不得不把自己的利益说成是社会全体成员的共同利益，就是说，这在观念上的表达就是：赋予自己的思想以普遍性的形式，把它们描绘成唯一合乎理性的、有普遍意义的思想。”[①]意识形态具有把特殊利益说成普遍利益，为统治阶级执政合理性进行辩护的特点。任何试图推翻旧的统治阶级，实现自己的统治地位的阶级，在革命阶段都需要把自己的利益说成是普遍利益。在建立政权之后，仍然需要坚持本阶级利益的普遍性，使本阶级所主导的意识形态得到更大范围地接受。中国共产党是执政党，其主导的意识形态不同于资产阶级“虚假的意识形态”，用形式上虚幻的利益普遍性来掩盖实质内容上的利益特殊性，社会主义意识形态所代表利益在长远意义和本质意义上的普遍性，建设具有强大引领力和凝聚力的社会主义意识形态，这也是十九大以后社会主义意识形态建设的着力点。社会主义意识形态凝聚力和引领力的提升，需要从物质和精神两个方面入手，进

① 《马克思恩格斯选集》第1卷，北京：人民出版社，2012年，第180页。

行主流意识形态的宣传和教育是最为直接的手段，通过正面思想阐释和反面错误思潮批驳，提高人民群众的理性认知水平和情感共鸣，增强对主流意识形态的认同。但是，正如马克思所说："人们为之奋斗的一切，都同他们的利益有关。"[①]除了意识形态宣传与教育之外，从根本上来说还是要靠解答现实的时代问题，满足人民群众的利益诉求，协调好利益关系来凝聚改革发展共识，实现更高程度和更深层次的引领。

（三）推进意识形态话语体系建设

《德意志意识形态》对意识形态的语言媒介规律进行了论证，指出意识形态是借助语言的载体来实现自身功能的。马克思指出："'精神'从一开始就很倒霉，受到物质的'纠缠'，物质在这里表现为震动着的空气层、声音，简言之，即语言。语言和意识具有同样长久的历史；语言是一种实践的、既为别人存在因而也为我自身而存在的、现实的意识。"[②]"意识形态的载体是语言"[③]，一定的意识形态总是用一定的语言来表达自己。意识形态要在社会生活中发挥作用，把本阶级的利益说成普遍利益，这个"说"主要依靠话语体系进行价值观念和政策主张的表达与传播。意识形态话语体系对形成话语认同，建构话语权具有重要的影响。当前，话语体系建设方面存在不少困境。比如，话语建设主体能力弱化，话语内容与形式不匹配，话语形态转换不够灵活，与时俱进的话语生命力有待提高，等等，这些话语困境在一定程度上消解着主流意识形态的

---

①《马克思恩格斯全集》第1卷，北京：人民出版社，1995年，第187页。

②《马克思恩格斯选集》第1卷，北京：人民出版社，2012年，第161页。

③ 俞吾金：《意识形态论》，北京：人民出版社，2014年，第43页。

社会影响力。党的十八大以来，党中央高度重视话语体系建设，习近平总书记多次在重要场合提出构建中国特色社会主义意识形态话语体系的时代命题，话语体系建设也已经成为学术界研究的前沿热点问题。新时代加强意识形态建设必须领会《德意志意识形态》中所描述的意识形态语言媒介规律，抓住话语体系建设这个突破口，坚定马克思主义立场，立足中国特色社会主义的话语实践，把握世情、国情、党情深刻变化的话语场域，整合传统、现代和多元的话语资源，关照广大人民群众的现实利益诉求，形成一系列的新概念、新范畴和新表述，构建具有中国特色、中国气派和中国风格的话语系统。

二、为构建人类命运共同体提供理论基础

《德意志意识形态》是马克思全球化思想的源头，其中的世界历史理论体现了对全球化内涵的深刻阐释以及对全球化发展趋势的科学洞见，为之后的全球化研究提供了最坚实的理论基础和最广阔的思维视野。当前，全球化已经成为不可逆转的历史趋势，整个世界越来越成为时空交汇、命运与共的共同体。在全球化的浪潮中，任何国家都不能独善其身，积极融入主动作为才是应对全球化的正确选择。历史和现实确证了马克思世界历史理论的科学性和预见性，虽然马克思的世界历史思想和当今的全球化并不完全一致，难以苛求从世界历史思想中找到解决新时代全球问题的直接方案，但是这些思想依然能够为解决时代问题产生借鉴意义。

（一）人类命运共同体的提出是顺应历史潮流之举

民族历史向世界历史的转向是马克思世界历史理论的首

要观点，任何民族和国家都将融入世界历史的大潮中，各个国家和民族之间的界限被打破，整个世界的联系越来越紧密，成为不可分割的整体。尽管马克思、恩格斯当时阐发世界历史理论的现实环境和当下新时代的境遇不可同日而语，仍然不能否认世界历史思想对当下应对全球化挑战的借鉴意义。反观当下，人类交往的世界性前所未有地深入和广泛，各国之间的联系也更为频繁和密切，和平、发展、合作、共赢的时代潮流不可逆转。然而，世界变局百年未有，面对战乱恐袭、饥荒疫情、环境恶化等全球发展中深层次的矛盾和问题，互利共赢及零和博弈的选择关系到全人类的前途和命运。党的十八大以来，习近平总书记高瞻远瞩地站在整个人类发展的角度，统筹国际国内两个大局，提出构建人类命运共同体的中国方案。所谓构建人类命运共同体，是在对全球化趋势深刻体察和科学分析的基础上，承认世界各国之间的联系日益紧密，主张各国风雨同舟，荣辱与共，共同解决世界问题。人类命运共同体是中国为了实现和平发展与合作共赢而提出的一种理念，坚持持久和平、普遍安全、共同繁荣、开放包容、清洁美丽的构建要求，契合了人类社会的共同价值追求。总体来说，人类命运共同体的提出是符合世界历史发展规律，顺应历史潮流之举，既是对马克思世界历史理论的坚持和确证，也是对马克思世界历史理论的丰富和发展，同时，世界历史理论也会为推动构建人类命运共同体继续提供理论支撑。

（二）以普遍交往为原则推动构建人类命运共同体

马克思在《德意志意识形态》中指出："各个相互影响的活

动范围在这个发展进程中越是扩大，各民族的原始封闭状态由于日益完善的生产方式、交往以及因交往而自然形成的不同民族之间的分工消灭得越是彻底，历史也就越是成为世界历史。”[①]这就指明了世界历史的推动力量。在民族国家内部，生产力的发展会使分工细化，造成交往的扩大，当生产力高度发展的国家形成一定规模，分工便冲破国与国的界限，促成世界市场的形成。应该说，生产力不断发展和交往日益普遍性就是世界历史形成的动力机制，在二者的关系中，生产是更为基本的活动，但是也不能否定交往的能动作用。对构建人类命运共同体而言，就是要寻求各方利益汇合点，坚持互利共赢、开放包容的原则，克服狭隘利益观的发展弊端。经济全球化深入发展，世界各国之间的利益相关性更加紧密，推动全球治理体系向更加公平合理的方向发展是大势所趋，应该推进开放、包容、普惠、平衡和共赢的全球化，共同推动世界各国繁荣发展。“一带一路”倡议是我国参与全球开放合作、改善全球经济治理体系、促进全球共同发展、推动构建人类命运共同体的中国方案，通过基础设施建设和互联互通，加强经济政策协调和发展战略对接，共同应对世界经济挑战，开创新发展机遇，谋求发展新动力，朝着人类命运共同体的方向前进。这是对世界历史发展规律的遵循，通过生产力的发展和普遍交往的扩大，谋求各国的共同发展，关切人类的共同利益，这也是人类命运共同体构建的正确逻辑。

---

①《马克思恩格斯选集》第1卷，北京：人民出版社，2012年，第168页。

知识链接

★ 交往 ★

“交往”这一术语在《德意志意识形态》中多次出现，含义丰富，包括单个人、社会团体和国家之间的物质交往和精神交往。马克思恩格斯认为，物质交往，而首先是人们在生产过程中的交往，这是其他任何交往的基础。《德意志意识形态》中“交往形式”“交往方式”“交往关系”“生产和交往的关系”等术语，表达的是马克思和恩格斯在这一时期所形成的生产关系概念。

三、为推进国家治理现代化提供原则遵循

在《德意志意识形态》中，马克思、恩格斯阐述了丰富的国家思想，包括国家的本质特征以及未来走向等。从1845年马克思恩格斯撰写《德意志意识形态》到现在，已经经历了170多年的时间，人类社会发生了深刻而广泛的变化。党的十九大报告指出社会主要矛盾的变化没有改变我们对社会主义所处历史阶段的判断，这便意味着国家作为一种政治结构还将存在很长时间。《德意志意识形态》中蕴含的国家思想至今仍然值得思考，对于建设现代国家，提高治理能力，推进国家治理体系和治理能力现代化具有深远的现实意义。

（一）夯实国家治理现代化的经济基础

在《德意志意识形态》中，马克思、恩格斯实现了对黑格尔国家观的超越，国家的前提不再是思辨的而是现实的。同时，指出了黑格尔所论述的市民社会和国家关系的颠倒，认为是市民社会决定国家而不是国家决定市民社会。这里的市民社

会是指"受到迄今为止一切历史阶段的生产力制约同时又反过来制约生产力的交往形式"[①]，即与上层建筑相对立的经济基础。同时指出市民社会是"全部历史的真正发源地和舞台"[②]，也就是把市民社会看作整个历史的基础，这是马克思从物质生产出发阐释现实生产过程的充分体现。在分工和私有制发展到一定程度后，产生了国家，而国家的消亡也建立在生产力的高度发展和私有制的消除之上。可以说，国家建立在一定的经济基础之上，随着生产力的发展而发展。在日益复杂的现代国家治理体系中，如何合理界定政府和市场的职能，如何处理好国家和社会的关系，成为关系国家治理效能的重要问题。推进国家治理现代化，要坚持马克思主义的国家观，解决国家治理中的重大现实问题。经济发展是国家治理的前提和基础，也是国家治理的强劲动力，现代化经济建设是推进国家治理现代化的基石。因而，必须以经济建设为前提，深化经济体制改革，发挥市场在资源配置中的决定性作用，发挥政府的作用；坚持和完善公有制为主体、多种所有制经济共同发展的基本经济制度，加快完善现代市场体系、宏观调控体系、开放型经济体系；加快转变经济发展方式，推动经济更有效率、更加公平、更可持续发展，为国家治理现代化提供坚实的经济基础。

（二）理性行使国家专政职能

马克思、恩格斯在《德意志意识形态》中鞭辟入里地阐释了国家的本质，"正是由于特殊利益和共同利益之间的这种矛

①《马克思恩格斯选集》第1卷，北京：人民出版社，2012年，第167页。

②《马克思恩格斯选集》第1卷，北京：人民出版社，2012年，第167页。

盾，共同利益才采取国家这种与实际的单个利益和全体利益相脱离的独立形式，同时采取虚幻的共同体的形式”[1]，指明了国家鲜明的阶级属性。从国家的产生来看，社会分工的发展产生了私有制，利益的分化产生了不同的阶级，从而出现了国家。国家总是与阶级联系在一起的，没有超阶级和超民族的国家，从形式上看国家是一种政治结构，实质上是统治阶级维护自身特殊利益的工具，对于被统治阶级而言则是一种异己的压迫力量，它是一种虚幻的共同体，不能成为一种真正的共同体，也不能实现人的自由全面的发展。阶级职能是国家的基本职能，不论以何种形式出现，都不能否认国家发展过程中客观存在的阶级职能。当前，阶级矛盾已经不是社会的主要矛盾，但这并不意味着国家阶级属性的消失，在现代化国家的治理中，国家的阶级职能依然需要发挥作用。由于国际国内因素的影响，仍然存在敌对势力企图颠覆国家政权和分裂国家的活动，以及犯罪分子危害人民群众生命财产安全和社会和谐安定的活动。新中国是人民民主专政的国家，民主是对绝大多数的人民群众而言，专政则是对少数敌对势力而言，这是一种不同于资本主义国家阶级性的表达形式。坚持党的领导、人民当家作主和依法治国的有机统一，建设中国特色社会主义民主政治，洞悉阶级斗争的新形式，维护国家安全，保障人民根本利益，实现政权稳定，这是推进国家治理现代化的政治保障。

①《马克思恩格斯选集》第1卷，北京：人民出版社，2012年，第164页。

（三）加强国家公共服务职能

国家采取虚幻的共同体形式根源在于社会分工和私有制的发展，产生了利益分化，进而形成了阶级对立，而国家正是阶级矛盾不可调和的产物，通过国家将一切冲突和矛盾控制在合理范围内，维持整个社会的正常运转，从这一意义上说，国家的存在具有一定的正当性。虽然是一种虚幻的共同体，但是在特殊利益和共同利益之间发挥着调和作用，不仅有维护阶级利益的职能，同时也具有公共服务职能。“随着城市的出现，必然要有行政机关、警察、赋税等等，一句话，必然要有公共机构，从而也就必然要有一般政治。”[①]公共服务职能是对阶级属性的补充，为了维持统治，必须加强公共服务，缺少任何一种职能都会危及国家的政治统治。公共服务职能直接关涉广大人民群众，因而是推进国家治理现代化的重要突破口。公共服务职能是否充分发挥关系到人民群众生活是否安居乐业，进而关系到执政基础是否稳固。当前，公共服务发展不充分和不平衡的问题依然存在，这也成为国家治理现代化的阻滞因素之一。中国共产党和中国政府始终以人民对美好生活的向往作为奋斗目标，内在要求破解公共服务难题，维护广大人民群众的利益。一方面，要提供充足且优良的公共服务。通过基础设施等的建设，完善社会保障制度，更好地保障和改善民生，使人民群众共享发展成果；另一方面，调解社会矛盾，实现基本公共服务均等化。所谓“不患寡而患不均”，城乡之间和区域之间的基本公共服务水平还存在一些差距，要

---

①《马克思恩格斯选集》第1卷，北京：人民出版社，2012年，第184页。

在尊重地区差异的基础上，保障城乡以及不同地区的协调发展，加快形成科学有效的社会治理体制，使发展成果更公平地惠及全体人民。

四、为实现人的全面发展提供方法指导

在《德意志意识形态》中，马克思、恩格斯从审视社会历史发展的现实前提出发，站在历史唯物主义的角度，全面系统阐释了人的全面发展理论，指明人的全面发展的出发点是“现实的个人”，生产力的高度发展、分工和私有制的消除是人的全面发展得以实现的现实条件，深刻体现了马克思主义哲学的主题。在这些丰富的思想中，人的发展与社会发展的关系命题为新时代认识人的发展问题提供了科学指导。

（一）推动个人的全面发展

马克思、恩格斯在《德意志意识形态》中从“现实的个人”出发考察全部人类历史，点明人的全面发展首先是个人的全面发展，畅想了人的全面发展的美好图景。“在共产主义社会里，任何人都没有特殊的活动范围，而是都可以在任何部门内发展……上午打猎，下午捕鱼，傍晚从事畜牧，晚饭后从事批判，这样就不会使我老是一个猎人、渔夫、牧人或批判者。”[①]因此，马克思、恩格斯所谓的人的全面发展包含多个层面，一是人的能力的全面发展，既能从事体力劳动，也能从事脑力劳动，能够在多个生产部门进行自由活动，在各个领域成为行家里手。二是人的自由个性的充分释放，驾驭一切影响个人发

①《马克思恩格斯选集》第1卷，北京：人民出版社，2012年，第165页。

展的力量，发展和丰富自己的个性，能够自主地按照自己的主观意愿从事各种社会活动。马克思将人的发展总结为对以“人的依赖关系”为基础的第一个阶段，以“物的依赖关系”为基础的第二个阶段以及人的自由全面发展的第三个阶段。我国正处于并将长期处于社会主义初级阶段，受生产力发展水平制约，人的发展还不可能达到马克思所设想的最高阶段，但是也不能将人的自由全面发展视为空想的目标，应该充分认识到实现人的自由全面发展是一个漫长而艰巨的历史过程，并不断为实现这一目标努力奋斗。马克思关于人的全面发展理论体现出重视人的发展的价值指向，这对新时代坚持以人民为中心的发展理念具有指导意义。改革开放以来，我国经济实现了跨越式飞速发展，但是也积累起诸多顽障痼疾，人民群众在共享发展成果的同时也存在很多困扰。中国共产党要始终坚持以人民为中心，以人为本，执政为民，不断满足人民群众日益增强的物质文化需要，保障人民群众的经济、政治、文化以及社会权益，为实现人的全面发展奠定基础。

（二）实现社会的全面进步

马克思、恩格斯也深刻指出，“只有在共同体中，个人才能获得全面发展其才能的手段”[①]，“社会结构和国家总是从一定的个人的生活过程中产生的”。[②]这就说明个人的全面发展与社会的发展具有一致性，任何人都是处于一定社会关系中的现实的有生命的个人，不可能离群索居地生活，社会发展为个人的发展提供前提基础，同时人的发展也会推动社会的进

①《马克思恩格斯选集》第1卷，北京：人民出版社，2012年，第199页。

②《马克思恩格斯选集》第1卷，北京：人民出版社，2012年，第151页。

步。但是,在现实中二者的发展并不是步调完全一致的,社会发展和个人发展之间有时也会存在一定的矛盾,社会的生产力发展状况、教育科学文化水平等方面的发展不足会制约个人的发展。“中国特色社会主义进入新时代,我国社会主要矛盾已经转化为人民日益增长的美好生活需要和不平衡不充分的发展之间的矛盾。”[1]这一政治论断指明了当前我国社会发展中存在的主要问题,随着中国特色社会主义事业的推进,人民的美好生活需要已经不仅仅局限于物质生活层面,民主、法治、公平、正义、安全和环境等各个层面的需要日益凸显。客观来看,目前的社会生产力大幅提高,但是社会转型期发展不充分和不平衡的问题日益突出。发展不平衡主要指各区域各方面和各地区发展不平衡,发展不充分主要指发展不足的问题。发展不平衡不充分的问题成为阻滞人的全面发展实现的重要因素,要求下大力气解决这一问题。在全面深化改革中,坚持和发展中国特色社会主义事业,满足人们在经济、政治、文化、社会、生态等方面日益增长的需要,使发展成果更多更公平地惠及全体人民,实现人的全面发展和社会全面进步的协同推进。

经典具有穿越时空的力量,能够为当今世界提供理论给养。通过上述论析,可以清晰地感知《德意志意识形态》在新时代的现实意义。需要明确的是,研读《德意志意识形态》,不能指望从文本中找到破解时代问题的直接答案,这无疑是对

① 习近平:《决胜全面建成小康社会夺取新时代中国特色社会主义伟大胜利——在中国共产党第十九次全国代表大会上的报告》,北京:人民出版社,2017年,第11页。

170多年之前的马克思、恩格斯的苛求。同时，剖析经典文本在新时代的现实意义也不能过犹不及，对原理的实际运用“随时随地都要以当时的历史条件为转移”。因而，必须理性审视《德意志意识形态》的时代意义，在文本与现实的结合中汲取理论滋养。

延伸阅读

（1）中共中央宣传部：《习近平新时代中国特色社会主义思想学习纲要》，北京：学习出版社、人民出版社，2019年6月。

（2）李爱华：《马克思主义经典著作导读》，北京：北京师范大学出版社，2008年4月。

（3）俞吾金：《意识形态论》，上海：上海人民出版社，2014年8月。

深度思考

（1）《德意志意识形态》对学习新时代中国特色社会主义思想有哪些启示意义？

（2）马克思世界历史思想与当代全球化的联系与区别是什么？

（3）《德意志意识形态》对马克思主义哲学思维的形成有何指导意义？

后　记

在《在纪念马克思诞辰200周年大会上的讲话》中，习近平总书记指出："全党同志特别是各级领导干部要更加自觉、更加刻苦地学习马克思列宁主义，学习毛泽东思想、邓小平理论、'三个代表'重要思想、科学发展观，学习新时代中国特色社会主义思想。要深入学、持久学、刻苦学，带着问题学、联系实际学，更好把科学思想理论转化为认识世界、改造世界的强大物质力量。共产党人要把读马克思主义经典、悟马克思主义原理当作一种生活习惯、当作一种精神追求，用经典涵养正气、淬炼思想、升华境界、指导实践。"实践发展永无止境，理论创新也永无止境。学习马克思主义经典著作，是一个持续推进、不断跟进、逐步深化的过程，必须把握住读原著、学原文、悟原理这个重要方法，经常学、反复学、持续学，真正学懂、学透、学通，从而将经典理论转化为武装头脑、指导实践、推动工作的强大正能量。在红旗出版社组织编写的《马恩经典著作新读》系列丛书中，笔者承担了《历史唯物主义真正出场与当代在场——〈德意志意识形态〉新读》一书的撰写工作。

马克思、恩格斯的著作《德意志意识形态》虽然距今已有170余年，甚至这部手稿不是一部完成了的作品，但却被誉为历史唯物主义的奠基之作，在马克思主义哲学体系中占有重要地位。当中国特色社会主义进入新时代，站在新时代的高度，分析《德意志意识形态》的写作背景，重新认识其思想内容以及揭示它的新时代价值，无疑具有重要意义。

此书是“站在前人肩膀上”的结果，在本书写作过程中我们参考了学界大量优秀的理论成果，在此向这些前辈学人表达最真挚的感谢。同时，山东大学马克思主义学院郑志康、刘敏、万坤利、徐雯婷、杨福川等同学参与了本书的资料收集、写作和审校工作。本书在写作过程中力求做到精益求精，但因为笔者的能力所限，难免存在不尽如人意之处，我们恳请专家和读者批评指正！

郑敬斌

2019年10月于山东大学